#자기주도
#중학과학
#개념기초서

시작은
하루 과학

**Chunjae**
**Makes**
**Chunjae**

▼

| | |
|---|---|
| **편집개발** | 김은숙, 김은송, 김용하, 박유미 |
| **디자인총괄** | 김희정 |
| **표지디자인** | 윤순미, 장미 |
| **내지디자인** | 박희춘, 한유정 |
| **제작** | 황성진, 조규영 |

| | |
|---|---|
| **발행일** | 2021년 3월 1일 초판 2021년 3월 1일 1쇄 |
| **발행인** | (주)천재교육 |
| **주소** | 서울시 금천구 가산로9길 54 |
| **신고번호** | 제2001-000018호 |
| **고객센터** | 1577-0902 |
| **교재 내용문의** | (02)3282-8739 |

※ 이 책은 저작권법에 보호받는 저작물이므로 무단복제, 전송은 법으로 금지되어 있습니다.
※ 정답 분실 시에는 천재교육 교재 홈페이지에서 내려받으세요.

1-1

시작은
**하루
과학**

## 한 주를 시작하며

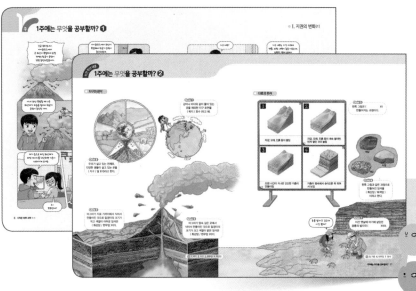

### ❙ 이번 주에는 무엇을 공부할까? ❶,❷

❶ 공부할 내용 미리보기를 만화로 재미있게 구성하였습니다.

❷ 이전에 배웠던 내용을 삽화로 구성하여 기억을 되살리고, 간단한 퀴즈 문제로 개념을 확인하며 점검합니다.

> 1일 공부하기 전에 만화와 퀴즈로 재미있는 선수 학습!

## 한 주를 마무리하며

### ❙ 누구나 100점 테스트

한 주에 공부한 내용을 바탕으로 다양한 유형의 문제를 풀어보면서 실력을 다지고 학습 내용에 대한 자신감을 기릅니다.

### ❙ 특강 창의·융합·코딩

한 주간 배운 개념을 그림과 게임으로 정리하고, 다양한 유형의 창의·융합·코딩 문제를 풀어 보면서 창의력과 문제 해결력을 기를 수 있습니다.

# 1일~5일 학습

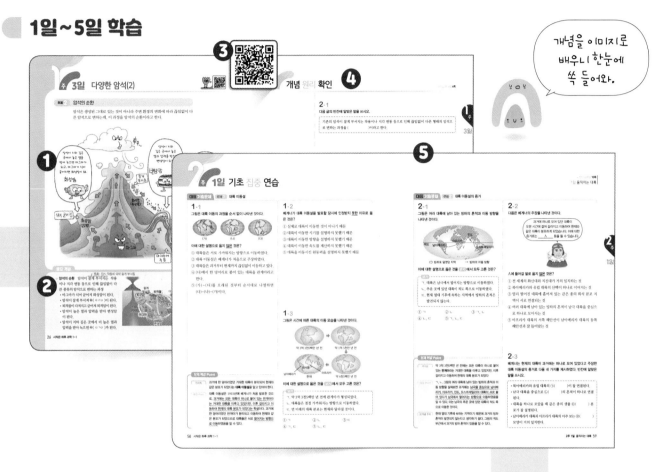

개념을 이미지로 배우니 한눈에 쏙 들어와.

## 개념 설명 + 개념 원리 확인 + 기초 집중 연습

❶ 꼭 알아야 할 중요 개념을 그림, 만화, 캐릭터의 설명 등을 통해 쉽고 재미있게 이해할 수 있습니다.

❷ 시각 자료로 이해한 내용과 관련된 핵심 개념을 정리하고, 빈칸 채우기로 확인할 수 있습니다.

❸ 개념 동영상을 볼 수 있는 QR 코드로 개념을 더 쉽고 재미있게 공부할 수 있습니다.

❹ 개념 원리 확인 문제를 풀어 보면서 개념을 확실하게 익힙니다.

❺ 대표 기출 문제와 연습 문제를 풀어 보면서 공부한 개념을 점검하고 응용력을 키울 수 있습니다.

# 하루 과학의 차례 1-1

# 하루 과학 1-1과 내 교과서 비교하기

**하루 과학 1-1로** 학교 진도에 따라 예습하거나 복습할 수 있어! 이때 내 과학 교과서 출판사명과 진도 범위를 확인하는 거야. 예를 들어 천재교과서 69~71쪽 까지가 진도 범위이면 하루 과학 1-1은 2주차 4일에 해당하는 72~77쪽 을 공부하면 돼.

| 대단원 | | 일차별 학습 주제 | 하루 과학 1-1(쪽) | 천재교과서(쪽) |
|---|---|---|---|---|
| I. 지권의 변화 | 1주 | 1일 지권의 구조 | 12~17 | 12~19 |
| | | 2일 다양한 암석(1) | 18~23 | 22~27 |
| | | 3일 다양한 암석(2) | 24~29 | 28~33 |
| | | 4일 암석을 이루는 광물 | 30~35 | 34~37 |
| | | 5일 풍화로 만들어진 토양 | 36~41 | 40~46 |
| II. 여러 가지 힘 | 2주 | 1일 움직이는 대륙 | 54~59 | 48~51 |
| | | 2일 지권의 운동 | 60~65 | 52~57 |
| | | 3일 중력 | 66~71 | 66~68 |
| | | 4일 무게와 질량 | 72~77 | 69~71 |
| | | 5일 탄성력 | 78~83 | 73~78 |
| III. 생물의 다양성 | 3주 | 1일 마찰력 | 96~101 | 80~85 |
| | | 2일 부력 | 102~107 | 86~89 |
| | | 3일 생명의 풍요로움, 생물 다양성 | 108~113 | 98~101 |
| | | 4일 환경에 따라 다양한 생물 | 114~119 | 102~104 |
| | | 5일 생물을 분류하는 방법과 목적 | 120~125 | 106~109 |
| IV. 기체의 성질 | 4주 | 1일 주변의 다양한 생물 분류하기 | 138~143 | 110~115 |
| | | 2일 생물 다양성의 중요성과 보전 | 144~149 | 118~127 |
| | | 3일 스스로 움직이는 입자(1) | 150~155 | 136~138, 140~141 |
| | | 4일 스스로 움직이는 입자(2) | 156~161 | 137, 139 |
| | | 5일 기체의 압력과 부피 | 162~167 | 142~147 |

| 비상교육(쪽) | 미래엔(쪽) | 동아출판(쪽) | YBM(쪽) |
|---|---|---|---|
| 14~19 | 14~21 | 12~19 | 13~18 |
| 24~26 | 22~25 | 20~22 | 21~25 |
| 27, 36~37 | 26~29 | 23~28 | 26~27 |
| 28~31 | 30~37 | 29~32 | 28~35 |
| 34~35 | 38~41 | 33~35 | 36~38 |
| 46~49 | 42~45 | 38~41 | 41~44 |
| 50~54 | 46~51 | 42~45 | 46~49 |
| 64~67 | 62~65 | 56~58 | 62~64, 68 |
| 68~69 | 66~69 | 59~61 | 65 |
| 70~74 | 72~75, 70~71 | 62~67 | 66~67, 70~72 |
| 80~83 | 76~79 | 70~75 | 76~79 |
| 84~87 | 80~87 | 76~80 | 80~83 |
| 96~97 | 98~99 | 90~93 | 95~97 |
| 98~99 | 100~103 | 94~95 | 98~100 |
| 100~101 | 104~107 | 96~99 | 103~106 |
| 102~107 | 108~115 | 100~103 | 108~111 |
| 112~118 | 116~123 | 106~113 | 113~121 |
| 128~132 | 134~138 | 128~130 | 133~137 |
| 132~134 | 134~138 | 124~126 | 133~137 |
| 140~143 | 140~141 | 132~137 | 138~147 |

**배울 내용**

1일 | 지권의 구조
2일 | 다양한 암석(1)
3일 | 다양한 암석(2)
4일 | 암석을 이루는 광물
5일 | 풍화로 만들어진 토양

● 지구와 암석

**Quiz 1**
강이나 바다와 같이 물이 있는
곳을 제외한 지구 표면을
( 육지 / 호수 )라고 해.

**Quiz 2**
우리가 살고 있는 천체로,
다양한 생물이 살고 있는 곳을
( 지구 / 달 )(이)라고 한다.

**Quiz 3**
마그마가 지표 가까이에서 식어서
만들어진 것으로 알갱이의 크기가
작고 색깔이 어두운 암석은
( 화강암 / 현무암 )이다.

**Quiz 4**
마그마가 땅속 깊은 곳에서
식어서 만들어진 것으로 알갱이의
크기가 크고 색깔이 밝은 암석은
( 화강암 / 현무암 )이다.

답 1. 육지 2. 지구 3. 현무암 4. 화강암

## 지층과 화석

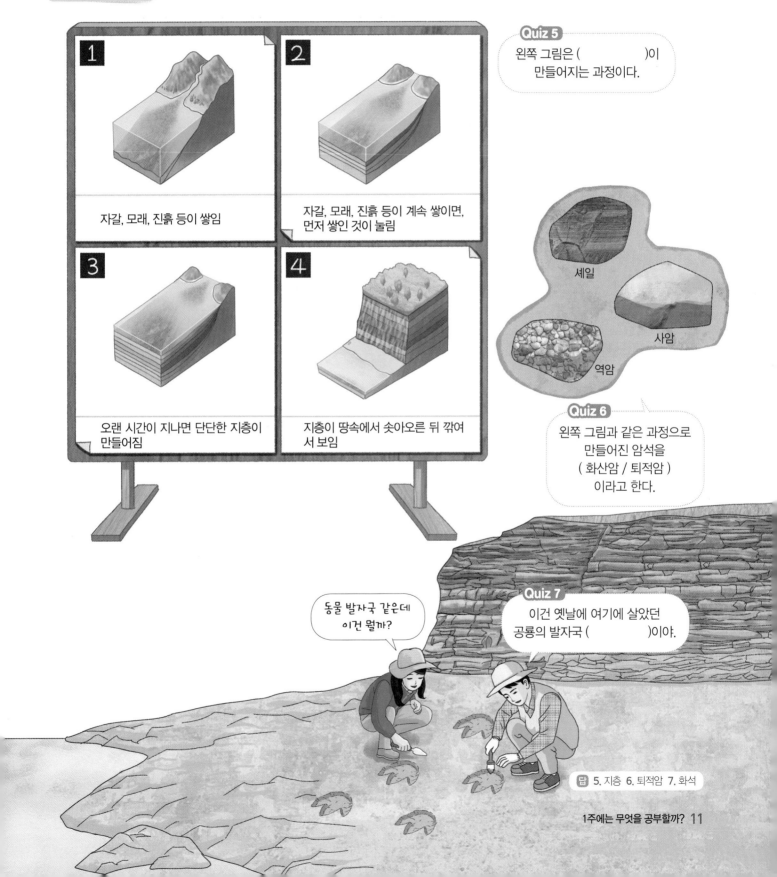

1 자갈, 모래, 진흙 등이 쌓임

2 자갈, 모래, 진흙 등이 계속 쌓이면, 먼저 쌓인 것이 눌림

3 오랜 시간이 지나면 단단한 지층이 만들어짐

4 지층이 땅속에서 솟아오른 뒤 깎여서 보임

**Quiz 5**
왼쪽 그림은 (              )이 만들어지는 과정이다.

셰일

사암

역암

**Quiz 6**
왼쪽 그림과 같은 과정으로 만들어진 암석을
( 화산암 / 퇴적암 )
이라고 한다.

동물 발자국 같은데 이건 뭘까?

**Quiz 7**
이건 옛날에 여기에 살았던 공룡의 발자국 (              )이야.

답 5. 지층 6. 퇴적암 7. 화석

# 주 1일 지권의 구조

## 주제 1 지구계의 구성

지구계는 지구와 우주 공간으로 이루어진 하나의 계로 지권, 수권, 기권, 생물권, 외권으로 이루어져 있다.

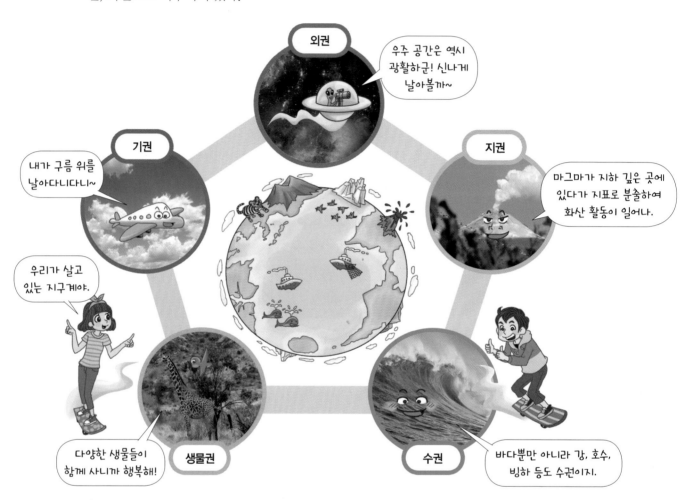

### 중요 개념

- **지구계** 우리가 사는 지구와 우주 공간이 이루는 하나의 *계
- **지구계의 구성 요소** 지권, 수권, 기권, 생물권, 외권으로 이루어짐

태양 에너지는 지구의 생명체가 살아가는 근원이다.

| 지권 | 수권 | 기권 | 생물권 | 외권 |
|---|---|---|---|---|
| • 토양과 암석으로 이루어진 지구의 표면과 지구의 내부 영역<br>• 대부분 고체 상태 | • 해수, 빙하, 지하수, 강, 호수 등<br>• ❶( ㅁ )이 존재하는 모든 영역<br>• 해수가 수권의 대부분을 차지 | • 지구 표면을 둘러싸고 있는<br>❷( ㄱㄱ )의 층<br>• 기상 현상이 나타나기도 함 | • 사람을 포함한 지구의 모든 생명체<br>• 지권, 수권, 기권에 걸쳐 넓게 분포 | • 기권 밖의 우주 공간<br>• 태양, 달 등의 천체 포함 |

- **지구계의 상호 작용** 지구계를 구성하는 요소들이 서로 영향을 주고받으면서 다양한 자연 현상이 일어남

### Tip

**지구에서의 물의 순환**
➡ 수권의 물이 증발하면 수증기가 되어 기권으로 이동 → 수증기가 응결하여 구름이 만들어짐 → 구름에서 비나 눈이 내려 생물권에서 이용, 풍화와 침식을 일으켜 지표의 모습을 변화시킴

답 ❶ 물 ❷ 공기

# 개념 원리 확인

○ 정답과 해설 2쪽

## 1-1

지구계의 각 구성 요소에 해당하는 내용을 옳게 연결하시오.

(1) 지권 •                  • ㉠ 기권 밖의 우주 공간

(2) 수권 •                  • ㉡ 토양과 암석으로 이루어진 지구 표면과 지구 내부 영역

(3) 기권 •                  • ㉢ 지구 표면을 둘러싸고 있는 공기의 층

(4) 생물권 •                • ㉣ 해수, 빙하, 지하수, 강, 호수와 같이 물이 존재하는 영역

(5) 외권 •                  • ㉤ 사람을 포함한 지구에 사는 모든 생명체

지구계의 기권, 수권, 생물권, 지권, 외권은 서로 영향을 주고받아.

## 1-2

다음은 지구계에 대한 설명이다. ( ) 안에서 알맞은 말을 고르시오.

(1) 우리가 사는 지구와 우주 공간이 이루는 하나의 계를 ( 지구계 / 지권 )(이)라고 한다.

(2) 지구계를 구성하는 요소들은 서로 ( 독립적으로 / 영향을 주고받으며 ) 작용한다.

(3) 지권, 수권, 기권, 생물권, 외권으로 이루어진 것은 ( 지구계 / 생태계 )이다.

## 1-3

다음에서 설명하는 지구계의 구성 요소로 옳은 것은?

지구계에 살고 있는 수많은 생물은 생물권에 속해.

> • 지권, 수권, 기권에 널리 분포한다.
> • 사람을 비롯하여 지구에 사는 모든 생명체이다.
>
>

① 지권     ② 수권     ③ 기권     ④ 생물권     ⑤ 외권

용어 풀이

* 계(系 연관짓다): 전체 안에서 서로 영향을 주고받는 구성 요소들의 집합

# 주 1일 지권의 구조

**주제 2** **지권의 층상 구조**

지진이 일어났을 때 지진파를 분석하여 지구 내부가 지각, 맨틀, 외핵, 내핵의 4개 층으로 이루어져 있다는 사실을 알 수 있다.

**중요 개념**

- **지구 내부 조사 방법** 화산 분출물 조사, *시추, *지진파 분석
  └─ 가장 효과적인 방법
- **지권의 층상 구조**

| 지각 | 맨틀 | 외핵 | 내핵 |
|---|---|---|---|
| • 지표로부터 약 35 km 깊이까지 | • 지각 아래부터 약 2900 km 깊이까지 | • 맨틀 아래에서 약 5100 km 깊이까지 | • 외핵 아래에서 약 6400 km 깊이까지 |
| • 고체 상태의 암석으로 된 지권의 가장 바깥에 있는 층 | • 가장 두꺼운 층으로, 지구 전체 부피의 약 80 % 차지 | • ❷( ㅇㅊ ) 상태이며, 주로 철과 니켈로 이루어짐 | • 고체 상태이며, 주로 철과 니켈로 이루어짐 |
| • ❶( ㄷㄹ ) 지각과 해양 지각으로 구분 | • 고체 상태의 암석으로 이루어져 있음 | | |

└ 대륙 지각의 평균 두께는 약 35 km, 해양 지각의 평균 두께는 약 5 km로 대륙 지각이 해양 지각보다 두껍다.

**Tip**

**지진파 분석**
➡ 지진 발생 시 지구 내부를 통과하여 전달되는 지진파를 분석하는 방법으로, 지구 내부 구조와 각 층의 상태를 알 수 있다.

**답** ❶ 대륙 ❷ 액체

# 개념 원리 확인

지구 내부는 지진파 분석을 통해 지각, 맨틀, 외핵, 내핵으로 이루어져 있음을 알 수 있어.

## 2-1

다음은 지권의 층상 구조에 대한 설명이다. ( ) 안에서 알맞은 말을 고르시오.

(1) 지권의 가장 바깥에 있는 층은 ( 지각 / 내핵 )이다.

(2) 지권은 지각, 맨틀, 외핵, ( 내핵 / 암석 )의 4개 층으로 구분한다.

(3) 지구 내부를 조사하는 가장 효과적인 방법은 ( 시추법 / 지진파 분석 )이다.

지구 내부 구조 중 핵은 외핵과 내핵으로 구분하고, 특히 외핵은 액체 상태라는 걸 꼭 알아둬.

## 2-2

그림은 지구 내부의 층상 구조를 나타낸 것이다. 빈칸에 알맞은 말을 쓰시오.

(1) 지구 내부 구조 중 ( )은 액체 상태이다.

(2) 지진파 분석을 통해 지권을 ( )개의 층으로 구분한다.

(3) 지구 내부 구조 중 지구 전체 부피의 약 80 %를 차지하며 가장 두꺼운 층은 ( )이다.

(4) 지구 내부 구조 중 고체 상태의 암석으로 이루어져 있으며 대륙 지각과 해양 지각으로 구분되는 층은 ( )이다.

## 2-3

그림은 고무찰흙을 이용하여 만든 지구 내부 구조 모형을 나타낸 것이다. 이에 대한 설명으로 옳은 것을 보기 에서 모두 고르시오. ( )

보기

ㄱ. 실제 지구 내부 구조와 동일하게 4개 층으로 구분한다.

ㄴ. 고무찰흙이 가장 많이 사용된 층은 청록색으로 나타낸 맨틀이다.

ㄷ. 빨간색과 노란색 고무찰흙이 사용된 층은 핵으로, 고체 상태이다.

ㄹ. 두께가 가장 얇은 층은 맨 위의 갈색 고무찰흙으로 나타낸 지각이다.

용어 풀이

＊**시추**(試 조사하다, 錐 송곳): 땅에 직접 구멍을 뚫어 내부를 조사하는 방법

＊**지진파**(地 땅, 震 떨다, 波 물결): 지진이 발생할 때 사방으로 전달되는 진동

## 1-1

다음은 지구계 구성 요소의 특징을 나타낸 것이다.

| (가) | (나) | (다) |
|---|---|---|
| 해수가 대부분을 차지하며 물이 존재하는 모든 영역이다. | 토양과 암석으로 이루어진 지구의 표면과 지구의 내부 영역으로 대부분 고체이다. | 지구의 기권 바깥에 있는 우주 공간으로, 이 영역에서 오는 태양 에너지는 생명체가 살아가는 근원이다. |

(가)~(다)에 해당하는 지구계의 구성 요소를 옳게 짝 지은 것은?

|   | (가) | (나) | (다) |
|---|---|---|---|
| ① | 기권 | 지권 | 생물권 |
| ② | 수권 | 생물권 | 외권 |
| ③ | 수권 | 지권 | 외권 |
| ④ | 지권 | 생물권 | 기권 |
| ⑤ | 생물권 | 기권 | 지권 |

**문제 해결 Point**

가이드 지구계는 **지권**, **수권**, **기권**, **생물권**, **외권**으로 이루어져 있다. (가), (나), (다)의 특징을 보고 지구계의 어떤 구성 요소에 해당하는지 파악할 수 있어야 한다.

해결 Point (가)는 해수가 대부분을 차지하며 물이 존재하는 모든 영역이므로 수권이다.
(나)는 토양과 암석으로 이루어진 지구 표면과 지구 내부 영역을 포함하므로 지권이다.
(다)는 지구의 기권 바깥에 있는 우주 공간이므로 외권이다.

오개념 주의 지구의 생명체가 살아가는 근원인 태양 에너지를 기권으로 혼동하면 안 된다.

## 1-2

지구계에 대한 설명으로 옳은 것을 보기 에서 모두 고른 것은?

보기
ㄱ. 태양과 달은 지구계에 포함되지 않는다.
ㄴ. 지구계의 구성 요소들이 서로 영향을 주고받으면서 다양한 자연 현상이 나타난다.
ㄷ. 지구계를 이루는 구성 요소에는 지권, 수권, 기권, 생물권, 외권이 있다.

① ㄱ        ② ㄴ        ③ ㄱ, ㄷ
④ ㄴ, ㄷ        ⑤ ㄱ, ㄴ, ㄷ

## 1-3

그림은 지구계의 구성 요소 사이의 상호 작용을 나타낸 것이다.

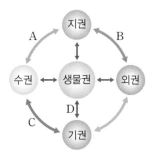

이에 대한 설명으로 옳은 것을 보기 에서 모두 고른 것은?

보기
ㄱ. 바닷물이 증발하여 구름이 형성되는 것은 C 과정에 해당한다.
ㄴ. 바깥 날씨가 갑자기 추워져 감기 환자들이 늘어난 것은 D 과정에 해당한다.
ㄷ. 화산이 폭발하여 화산재가 대기 중으로 퍼져 나가는 것은 A 과정에 해당한다.

① ㄱ        ② ㄴ        ③ ㄱ, ㄴ
④ ㄴ, ㄷ        ⑤ ㄱ, ㄴ, ㄷ

**Hint** 바닷물은 수권의 영역, 구름은 기권의 영역이다. 날씨가 추운 것은 기권의 영역, 감기 걸린 환자는 생물권의 영역이다.

**대표 기출문제** 주제2 지권의 층상 구조

## 2-1

그림은 지구 내부의 층상 구조를 나타낸 것이다.

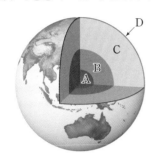

각 층에 대한 설명으로 옳은 것은?

① A는 액체 상태로 되어 있다.

② B는 고체 상태로 되어 있다.

③ C는 지구 내부에서 가장 큰 부피를 차지한다.

④ D에서 대륙 지각과 해양 지각의 평균 두께는 같다.

⑤ D는 맨틀로, 맨틀을 구성하는 물질의 일부가 녹으면 마그마가 만들어진다.

## 2-2

지구 내부 구조를 조사하는 방법으로 가장 효과적인 방법은?

① 지진파를 분석한다.

② 화산 분출물을 조사한다.

③ 운석의 성분을 분석한다.

④ 직접 땅을 파서 안으로 들어가 본다.

⑤ 지하 깊은 광산의 암석을 채취하여 분석한다.

## 2-3

그림은 지구의 내부 구조를 나타낸 것이다. 지구의 내부 구조 중 다음과 같은 특징을 나타내는 것은?

- 지권에서 가장 많은 부피를 차지한다.
- 구성 물질이 녹으면 마그마가 만들어진다.
- 지각 아래부터 깊이 약 2900 km까지의 층이다.

① 맨틀　　　② 외핵　　　③ 내핵

④ 해양 지각　　　⑤ 대륙 지각

### 문제 해결 Point

가이드 　지권은 **지각**, **맨틀**, **외핵**, **내핵**으로 이루어져 있다. A는 내핵, B는 외핵, C는 맨틀, D는 지각으로, 각 층의 특징에 대해 알고 있어야 한다.

해결 Point 　내핵(A)과 외핵(B)은 철과 니켈과 같은 무거운 물질로 이루어져 있지만, 외핵(B)은 액체 상태이고, 내핵(A)은 고체 상태이다. 맨틀(C)은 지구 내부 구조 중 가장 부피가 크며 맨틀을 구성하는 물질의 일부가 녹으면 마그마가 생성된다.

오개념 주의 　그림에서는 지각의 두께가 일정하게 표현되어 있지만, 대륙 지각의 평균 두께는 약 35 km이고, 해양 지각의 평균 두께는 약 5 km이다.

### 주제 1 화성암

마그마가 식어서 굳어짐 ┐   퇴적물이 쌓여서 굳어짐   ┌ 암석이 열과 압력을 받아 성질이 변함

암석은 생성 과정에 따라 화성암, 퇴적암, 변성암으로 분류한다. 그중 화성암은 지하 깊은 곳에서 만들어진 마그마가 지표로 흘러나와 빨리 식어서 만들어진 화산암, 지하에서 천천히 식어서 만들어진 심성암으로 구분한다.

암석의 색이 어둡고 알갱이 크기가 작네.

현무암

우린 용암이 지표에서 빨리 식어서 만들어졌어.

화산암

심성암

암석의 색이 밝고 알갱이의 크기가 크네.

화강암

우린 마그마가 지하 깊은 곳에서 천천히 식어서 만들어졌어.

### 중요 개념

● **화성암** 생성 장소에 따라 구분
  • 지하 깊은 곳에서 만들어진 ❶( ㅁㄱㅁ )가 지표로 흘러 나오거나 땅속 깊은 곳에서 식어서 굳어진 암석
  • 마그마가 식는 장소에 따라 심성암과 화산암으로 구분한다.
● **화성암의 종류** – 암석을 구성하는 알갱이의 크기와 암석의 색에 따라 구분한다.

| 구분 | 생성 과정 | 알갱이 크기 | 어둡다 ◀── 색 ──▶ 밝다 | |
|---|---|---|---|---|
| 심성암 | 마그마가 지하 깊은 곳에서 천천히 식어서 만들어진 암석 | 크다 ┌마그마가 식는 속도에 따라 달라짐 | 반려암 | 화강암 |
| 화산암 | 마그마가 지표에서 빨리 식어서 만들어진 암석 | ❷( ㅈㄷ ) | 현무암 | 유문암 |

**Tip**

**마그마와 용암**
➡ 마그마는 지하의 암석이 높은 온도와 압력에 의해 부분적으로 녹아 생성된 것이고, 마그마가 지표로 흘러나와 기체 성분이 빠져 나간 것이 용암이다.

답 ❶ 마그마 ❷ 작다

# 개념 원리 확인

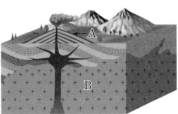

화성암은 마그마가
식는 장소에 따라
화산암과 심성암으로
구분해.

## 1-1

그림은 화성암이 생성되는 장소를 나타낸 것이다.

(1) A와 B 지역에서 만들어지는 화성암을 각각 무엇이
라고 하는지 쓰시오.

· A: (              )

· B: (              )

(2) A와 B 중 알갱이의 크기가 더 큰 암석이 생성되는 곳은 어디인지 기호를 쓰시오. (          )

## 1-2

다음은 화성암에 대한 설명이다. (      ) 안에서 알맞은 말을 고르시오.

(1) 마그마가 식어 굳어져서 만들어진 암석을 ( 화성암 / 퇴적암 )이라고 한다.

(2) 마그마가 지하 깊은 곳에서 천천히 식어서 만들어진 화성암은 ( 화산암 / 심성암 )이다.

(3) 마그마가 지하 깊은 곳에서 천천히 식어서 만들어진 암석의 알갱이 크기는 ( 작다 / 크다 ).

(4) 화성암은 암석의 색과 암석을 구성하는 알갱이의 ( 크기 / 반짝임 )에 따라 구분할 수 있다.

## 1-3

그림은 다양한 화성암을 나타낸 것이다. 각각의 화성암을 밝기에 따라 옳게 연결하시오.

암석의 색과 암석을
구성하는 알갱이의 크기
에 따라 화성암을 구분
할 수 있어.

(1)

▲ 유문암

(2)

▲ 현무암

· ㉠ 밝다.

(3)

▲ 화강암

· ㉡ 어둡다.

(4)

▲ 반려암

주제 **2** **퇴적암**

암석이 시간이 지나면서 잘게 부서져 퇴적물이 되고, 이 퇴적물이 쌓여 다져지고 굳어져서 퇴적암이 된다.

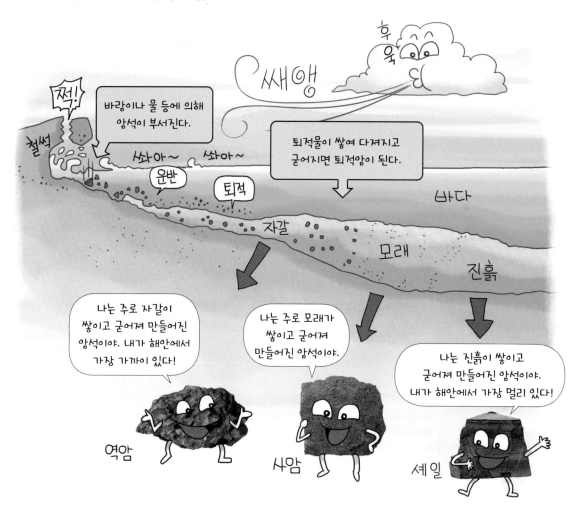

중요 개념

● **퇴적암** 퇴적물이 다져지고 굳어져서 만들어진 암석
  • 생성 과정: 퇴적물 운반 → 쌓임 → 다져짐 → ❶( ㄱㅇㅈ ) → 퇴적암 생성
  • 특징:*층리(크기나 종류가 다른 퇴적물이 번갈아 쌓여 나타난 나란한 줄무늬)
  • 특징*화석(과거에 살았던 생물의 유해나 흔적이 굳어져 암석에 남은 것)
● **퇴적암의 종류** – 암석을 구성하는 퇴적물 알갱이의 크기와 퇴적물 종류에 따라 구분한다.

| 주요 퇴적물 | 크다 ◀━━ 퇴적물 크기 ━━▶ 작다 | | | 퇴적물 종류 | |
|---|---|---|---|---|---|
| | 자갈 | ❷( ㅁㄹ ) | 진흙 | 석회 물질 | 화산재 |
| 퇴적암 | 역암 | 사암 | 셰일 | 석회암 | 응회암 |

해안에서 가까운 곳부터 역암, 사암, 셰일 순으로 퇴적된다.

**Tip**

**해안에서 가까운 곳부터 역암, 사암, 셰일 순으로 퇴적되는 이유**
➡ 무거운 자갈(역암 구성)은 멀리 운반되지 못하지만 가벼운 진흙(셰일 구성)은 멀리까지 운반될 수 있기 때문이다.

답 ❶ 굳어짐 ❷ 모래

퇴적물이 쌓인 후 다져지고 굳어져서 만들어진 암석을 퇴적암이라고 해.

## 2-1

다음은 퇴적암의 생성 과정을 나타낸 것이다. 빈칸에 알맞은 말을 쓰시오.

> 퇴적물 운반 → 쌓임 → 다져짐 → (　　　　　　　) → 퇴적암 생성

## 2-2

다음은 퇴적암의 특징을 설명한 것이다. 빈칸에 알맞은 말을 쓰시오.

(1) 크기나 종류가 다른 퇴적물이 번갈아 쌓여 나타난 줄무늬를
　　(　　　)라고 한다.

(2) 과거에 살았던 생물의 유해나 흔적이 굳어져 암석에 남은 것
　　을 (　　　)이라고 한다.

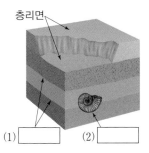

층리면

(1) ☐　　　(2) ☐

## 2-3

그림은 해저에서 퇴적물이 쌓인 모습을 나타낸 것이다. A~C에 해당하는 퇴적암을 역암, 사암, 셰일 중에서 골라 각각 쓰시오.

육지　　　　　　　　바다

▨ 자갈
▧ 모래
▦ 진흙

| 주로 자갈로 이루어진 암석 | 주로 모래로 이루어진 암석 | 진흙으로 이루어진 암석 |

- A : (　　　　　　)
- B : (　　　　　　)
- C : (　　　　　　)

용어 풀이

＊층리(層 겹, 理 나무결): 퇴적물
이 수평하게 쌓여 굳어져 지층이
만들어질 때 나타나는 나란한 줄
무늬

＊화석(化 될, 石 돌): 지질 시대의
퇴적암 안에 퇴적물과 함께 퇴적
된 동식물의 유해나 흔적

# 2일 기초 집중 연습

**대표 기출문제** **주제 1** 화성암

## 1-1

그림은 화성암의 생성 장소를 나타낸 것이다.

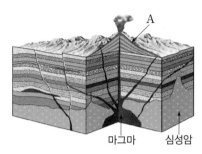

마그마    심성암

A에서 생성되는 화성암의 특징을 설명한 것으로 옳지 <u>않은</u> 것을 모두 고르면? (정답 2개)

① 화석이 발견된다.

② 현무암과 유문암이 이에 속한다.

③ 지표에서 마그마가 빨리 식어 만들어진다.

④ A에서 생성되는 화성암을 화산암이라고 한다.

⑤ A에서 생성되는 화성암을 구성하는 알갱이의 크기 는 지하 깊은 곳에서 생성된 화성암에 비해 크다.

### 문제 해결 Point

**가이드**
화성암이 생성되는 장소에 따라 **화산암**과 **심성암**으로 나누어지고, 이에 따라 각각의 암석을 구성하는 알갱이 크기가 달라짐을 이해해야 한다.

**해결 Point**
화성암 중 마그마가 지표에서 빨리 식어서 만들어진 암 석은 화산암(A에서 생성), 마그마가 지하 깊은 곳에서 천천히 식어서 만들어진 암석은 심성암이다.
암석을 구성하는 알갱이의 크기는 마그마의 냉각 속도 에 따라 달라진다. 마그마가 빠르게 식으면 알갱이의 크기가 작고, 마그마가 천천히 식으면 알갱이의 크기가 크다. 그러므로 A에서는 마그마가 지표에서 빨리 식어 서 알갱이 크기가 작은 화산암이 만들어진다. 반대로 지하 깊은 곳에서는 마그마가 천천히 식어서 알갱이의 크기가 큰 심성암이 만들어진다.

**오개념 주의**
화산암 중 현무암에 있는 구멍을 알갱이로 착각하여 화 산암을 구성하는 알갱이가 크다고 생각하면 안 된다.

## 1-2

그림은 화성암을 알갱이 크기와 암석의 색에 따라 분류한 것이다.

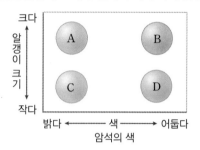

D에 해당하는 암석을 **보기** 에서 골라 쓰시오.

**보기**

화강암    유문암    반려암    현무암

**Hint** 화강암과 반려암은 심성암으로 알갱이 크기가 크고, 유문암과 현무암 은 화산암으로 알갱이 크기가 작다.

## 1-3

화성암에 대한 설명으로 옳지 <u>않은</u> 것은?

① 마그마가 식어서 굳어진 암석이다.

② 화성암은 화산암과 심성암으로 구분된다.

③ 생성된 장소에 따라 암석의 종류가 다르다.

④ 마그마가 빠르게 식으면 암석을 구성하는 알갱이의 크기 가 커진다.

⑤ 화성암을 이루는 알갱이의 크기는 마그마의 냉각 속도에 따라 달라진다.

**Hint** 마그마가 지하 깊은 곳에서 천천히 식으면 암석을 구성하는 알갱이 가 커질 시간이 충분해져 알갱이의 크기가 커진다.

**대표 기출문제** | 주제 **2** | 퇴적암

## 2-1

그림은 해저에서 퇴적물이 쌓이는 장소를 나타낸 것이다.

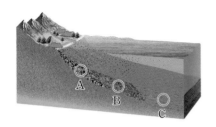

이에 대한 설명으로 옳은 것은?

① A에서는 주로 진흙이 쌓인다.

② B에서는 주로 역암이 생성된다.

③ C에 쌓이는 퇴적물의 크기가 가장 작다.

④ A~C에서 만들어지는 암석은 화산암이다.

⑤ A~C에서 만들어지는 암석에서는 엽리가 나타난다.

## 2-2

다음은 퇴적암의 생성 과정을 순서 없이 나타낸 것이다.

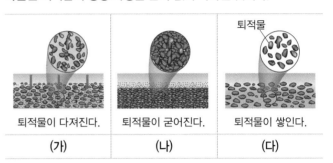

| 퇴적물이 다져진다. | 퇴적물이 굳어진다. | 퇴적물이 쌓인다. |
|---|---|---|
| (가) | (나) | (다) |

(가)~(다)를 퇴적암의 생성 과정에 따라 순서대로 옳게 나열한 것은?

① (가) → (나) → (다)

② (가) → (다) → (나)

③ (나) → (가) → (다)

④ (다) → (나) → (가)

⑤ (다) → (가) → (나)

### 문제 해결 Point

**가이드**
그림은 해저에서 퇴적물이 쌓이는 장소를 나타낸 것으로, 퇴적물의 무게에 따라 **퇴적물이 쌓이는 위치**가 달라지고 만들어지는 **퇴적암의 종류**가 달라짐을 알아야 한다.

**해결 Point**
크기가 작은 퇴적물일수록 가벼워서 해안에서 먼 곳까지 운반된다. 따라서 해안에 가까운 A에서는 주로 자갈이 퇴적되어 역암이 생성되고, B에서는 주로 모래가 퇴적되어 사암이 생성되며, 해안에서 먼 C에서는 진흙이 퇴적되어 셰일이 생성된다.
퇴적암에는 퇴적물이 여러 겹으로 쌓여 만들어진 줄무늬인 층리가 나타나기도 하며 화석이 발견되기도 한다.

**오개념 주의**
퇴적물의 크기가 작을수록 해안에서 가까운 곳에 쌓인다고 착각하면 안 된다.

## 2-3

퇴적암에 대한 설명으로 옳지 않은 것은?

① 층리는 퇴적암에서만 볼 수 있다.

② 암석 표면에 기체가 빠져나간 흔적이 있다.

③ 퇴적물 알갱이의 크기와 종류에 따라 분류된다.

④ 과거에 살았던 생물의 유해나 흔적이 발견되기도 한다.

⑤ 퇴적물들이 쌓여서 다져지고 굳어져서 만들어진 암석이다.

**Hint** 퇴적암에서 화석이 발견된다.

**주제 1** 변성암

기존의 암석이 마그마와 접촉하여 열을 받거나 지하 깊은 곳으로 이동하여 높은 열과 압력을 받으면 성질이 변하여 변성암이 된다.

**중요 개념**

- **변성암** 높은 열과 ❶( ㅇㄹ )에 의해 기존의 암석이 변성되어 만들어진 암석
- **\*엽리** 암석이 받은 압력의 ❷( ㅅㅈ ) 방향으로 암석의 알갱이가 배열되면서 생긴 줄무늬

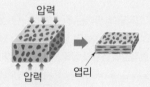

압력
압력
엽리

**Tip**

**변성암의 구분**
➡ 변성되기 전의 원래 암석의 종류나 변성 정도에 따라 구분한다.

원래 암석: 화강암 / 셰일 / 사암 / 석회암
열과 압력 ↓
변성된 암석: 편마암 / 편암, 편마암 / 규암 / 대리암

— 염산과 반응하여 거품이 발생한다.
— 엽리가 잘 나타난다.

답 ❶ 압력 ❷ 수직

# 개념 원리 확인

엽리는 압력의 수직 방향으로 암석의 알갱이가 배열되면서 생긴 줄무늬야.

## 1-1

다음에서 설명하는 것은 무엇인지 쓰시오.                    (         )

- 변성암에서 볼 수 있다.
- 암석의 알갱이가 작용한 압력 방향에 수직 방향으로 배열되면서 생긴 줄무늬이다.

## 1-2

그림은 엽리의 생성 과정을 나타낸 것이다. 빈칸에 알맞은 말을 쓰시오.

암석이 지하 깊은 곳에서 압력을 받으면 암석의 알갱이가 압력의 (          ) 방향으로 배열되면서 줄무늬가 생긴다. 이 줄무늬를 엽리라고 한다.

## 1-3

변성되기 전의 암석과 열과 압력을 받아 변성된 후의 암석을 옳게 연결하시오.

변성암은 원래의 암석 종류에 따라 다른 변성암이 만들어지므로 연결해서 알아 두자.

(1) 셰일 ·

(2) 사암 ·

(3) 석회암 ·

· ㉠

▲ 편마암

· ㉡

▲ 대리암

· ㉢

▲ 규암

용어 풀이

＊ 엽리(葉 입, 理 다스릴): 구성 입자들이 줄무늬로 배열된 것

## 주제 2 암석의 순환

암석은 생성된 그대로 있는 것이 아니라 주변 환경의 변화에 따라 끊임없이 다른 암석으로 변하는데, 이 과정을 암석의 순환이라고 한다.

### 중요 개념

● **암석의 순환** 암석이 잘게 부서지는 작용
┌─ 풍화·침식 작용에 의해 잘게 부서짐
이나 지각 변동 등으로 인해 끊임없이 다른 종류의 암석으로 변하는 과정

• 마그마가 식어 굳어져 화성암이 된다.
• 암석이 잘게 부서져 ❶( ㅌㅈㅁ )이 된다.
• 퇴적물이 다져지고 굳어져 퇴적암이 된다.
• 암석이 높은 열과 압력을 받아 변성암이 된다.
• 암석이 지하 깊은 곳에서 더 높은 열과 압력을 받아 녹으면 ❷( ㅁㄱㅁ )가 된다.

**Tip**

**암석의 순환 과정**
➡ 암석은 퇴적암 → 변성암 → 화성암 → 퇴적암의 순서대로만 진행되는 것이 아니라 다양한 방식으로 복잡하게 일어난다.

답 ❶ 퇴적물 ❷ 마그마

# 개념 원리 확인

## 2-1

다음 글의 빈칸에 알맞은 말을 쓰시오.

기존의 암석이 잘게 부서지는 작용이나 지각 변동 등으로 인해 끊임없이 다른 형태의 암석으로 변하는 과정을 (          )이라고 한다.

암석은 생성된 그대로 있는 것이 아니라 끊임없이 다른 암석으로 변해.

## 2-2

그림은 암석의 순환을 나타낸 것이다. 빈칸에 알맞은 말을 쓰시오.

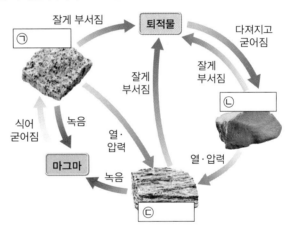

## 2-3

다음은 암석의 순환에 대한 설명이다. (      ) 안에서 알맞은 말을 고르시오.

지표의 암석은 잘게 부서져 퇴적물이 되고, 퇴적물이 다져지고 굳어지면 ㉠( 화성암 / 퇴적암 )이 된다. 암석이 지하 깊은 곳에서 높은 열과 압력을 받으면 ㉡( 화성암 / 변성암 )이 되고, 더 높은 열과 압력을 받아 녹으면 마그마가 된다. 마그마가 식어 굳어지면 ㉢( 화성암 / 변성암 )이 된다. 지표에 노출된 암석은 오랜 시간에 걸쳐 다시 부서지고 깎인다.

## 1-1

그림은 고무찰흙을 이용하여 어떤 암석에서 발견되는 줄무늬의 생성 원리를 알아보는 실험을 나타낸 것이다. 이와 같은 줄무늬를 가진 암석에 대한 설명으로 옳은 것은?

힘을 가한 방향

찰흙 알갱이가 퍼진 방향

① 층리가 발견된다.

② 화석이 발견된다.

③ 마그마가 지표에서 빨리 식어서 만들어진 암석이다.

④ 높은 열과 압력에 의해 기존의 암석이 변성되어 만들어진 암석이다.

⑤ 지하 깊은 곳에서 만들어진 마그마가 천천히 식어 굳어져 만들어진 암석이다.

### 문제 해결 Point

**가이드**  그림은 **변성암**에서 나타나는 특징인 **엽리**의 생성 과정을 알아보는 것으로, 퇴적암에서 나타나는 특징인 층리와 구분할 수 있어야 한다.

**해결 Point**  고무찰흙을 손으로 눌렀을 때 고무찰흙 속 알갱이에 힘을 가한 방향의 수직으로 줄무늬가 생기는 것을 볼 수 있다. 이러한 줄무늬를 엽리라고 하며, 이는 높은 열과 압력에 의해 기존의 암석이 변성되어 만들어진 변성암에서 볼 수 있는 특징이다.

**오개념 주의**  **층리**는 퇴적물이 수평하게 쌓여 굳어져서 지층이나 암석이 만들어질 때 나타나는 나란한 줄무늬로, 퇴적암의 특징이다. 층리와 엽리가 헷갈릴 수 있으므로 주의하도록 한다.

| 구분 | 생성 과정 | 발견되는 암석 |
|---|---|---|
| 층리 | 퇴적물이 쌓여 생긴 줄무늬 | 퇴적암 |
| 엽리 | 압력의 수직 방향으로 배열되어 만들어진 줄무늬 | 변성암 |

## 1-2

변성암에 대한 설명으로 옳지 않은 것은?

① 편마암, 규암, 대리암 등이 이에 속한다.

② 변성 정도에 따라 다양한 암석이 만들어진다.

③ 암석이 높은 열과 압력을 받아 성질이 변하여 만들어진다.

④ 암석이 시간이 지나면서 풍화·침식 작용을 받아 만들어진다.

⑤ 암석이 받은 압력의 수직 방향으로 줄무늬가 만들어지기도 한다.

## 1-3

암석에 대한 설명으로 옳은 것을 보기 에서 모두 고른 것은?

### 보기

ㄱ. 화성암에는 화산암과 심성암이 있다.

ㄴ. 암석은 생성 과정에 따라 화성암, 퇴적암, 변성암으로 구분한다.

ㄷ. 변성암은 높은 열과 압력에 의해 기존의 암석이 변성되어 만들어진다.

① ㄱ          ② ㄴ          ③ ㄱ, ㄷ

④ ㄴ, ㄷ          ⑤ ㄱ, ㄴ, ㄷ

**대표 기출문제** (주제**2**) 암석의 순환

## 2-1

그림은 암석의 순환을 나타낸 것이다.

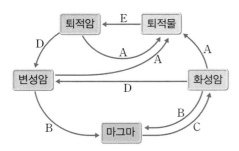

A~E 중 마그마가 식어 화성암이 되는 과정(㉠)과 기존의 암석이 높은 열과 압력을 받아 다른 암석으로 변하는 과정(㉡)을 옳게 짝 지은 것은?

| | ㉠ | ㉡ |
|---|---|---|
| ① | A | B |
| ② | B | C |
| ③ | C | D |
| ④ | D | E |
| ⑤ | E | D |

## 2-2

그림은 암석이 순환하는 과정을 나타낸 것이다.

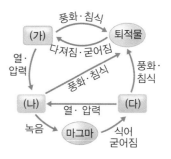

(가)~(다)에 알맞은 암석을 옳게 짝 지은 것은?

| | (가) | (나) | (다) |
|---|---|---|---|
| ① | 퇴적암 | 화성암 | 변성암 |
| ② | 퇴적암 | 변성암 | 화성암 |
| ③ | 화성암 | 변성암 | 퇴적암 |
| ④ | 화성암 | 퇴적암 | 변성암 |
| ⑤ | 변성암 | 퇴적암 | 화성암 |

**Hint** 마그마가 식어 굳어지면 화성암이 만들어지고, 암석이 풍화·침식 작용을 받아 퇴적물이 된 후 다져지고 굳어지면 퇴적암이 되고, 암석이 높은 열과 압력을 받아 변성되면 변성암이 된다.

## 2-3

암석의 순환에 대한 설명으로 옳은 것을 보기 에서 모두 고른 것은?

보기
ㄱ. 기존의 암석이 풍화·침식 작용을 받으면 변성암이 된다.
ㄴ. 암석이 지하 깊은 곳에서 높은 열과 압력을 받으면 변성 작용이 일어난다.
ㄷ. 암석은 잘게 부서지는 작용이나 지각 변동 등의 환경 변화에 따라 다른 암석으로 변한다.

① ㄱ          ② ㄴ          ③ ㄱ, ㄷ
④ ㄴ, ㄷ          ⑤ ㄱ, ㄴ, ㄷ

### 문제 해결 Point

가이드 | 그림은 기존의 암석이 잘게 부서지는 작용이나 지각 변동 등으로 인해 끊임없이 다른 형태의 암석으로 변하는 **암석의 순환** 과정을 나타낸 것으로, 무조건 암기하기보다는 각각의 암석이 생성되는 과정을 이해하면 문제를 쉽게 풀 수 있다.

해결 Point | A는 암석이 잘게 부서져 퇴적물이 되는 작용, B는 암석이 녹아 마그마가 되는 과정, C는 마그마가 식어 화성암이 되는 과정이다. D는 기존의 암석이 땅속 깊은 곳에서 높은 열과 압력에 의해 변성되어 변성암이 되는 과정, E는 퇴적물이 다져지고 굳어져 퇴적암이 되는 과정이다.

## 주제 1  암석을 이루는 광물

지권은 대부분 암석으로 이루어져 있고, 암석은 더 작은 알갱이인 광물로 이루어져 있으며, 암석을 구성하는 주된 광물을 조암 광물이라고 한다.

화강암

우와, 알갱이가 진짜 많다!

지각

나는 무색이나 흰색을 띠는 밝은색 광물이야.

나는 흰색이나 분홍색을 띠는 밝은색 광물이고 조암 광물 중 가장 큰 부피를 차지해.

나는 검은색을 띠는 어두운색 광물이야.

석영

장석

흑운모

우리가 모여 화강암이 되지!

### 중요 개념

● **광물**  암석을 구성하는 작은 알갱이로, 각 광물은 고유한 구조와 구성 성분을 가짐
대부분 여러 종류의 광물이 모여 암석을 구성하며, 한 가지 광물로 이루어진 암석도 있다.
● **조암 광물**  지구의 ❶( ㅇㅅ )을 구성하는 주된 광물
• 주요 조암 광물: 장석, 석영, 휘석, 각섬석, 흑운모, 감람석 등
• 주요 조암 광물의 부피 비: 장석>❷( ㅅㅇ )>휘석>기타
● **광물의 특성①**  서로 다른 광물과 구별할 수 있는 광물의 고유한 특성
• 색(겉으로 보이는 색깔)
┌ 밝은색 광물: 장석(분홍색, 흰색), 석영(무색, 흰색)
└ 어두운색 광물: 휘석(검은색, 녹색), 각섬석(검은색, 녹색), 흑운모(검은색), 감람석(황록색)

#### Tip

**지각의 구성 물질**
➡ • 지각: 지구의 단단한 겉 부분
• 암석: 지각의 대부분 차지
• 광물: 암석을 이루는 작은 알갱이

답 ❶ 암석 ❷ 석영

## 1-1

다음은 암석을 이루는 광물에 대한 설명이다. 빈칸에 알맞은 말을 쓰시오.

(1) 대부분의 암석은 여러 가지 (          )로 이루어져 있다.

(2) 암석을 구성하는 주된 광물을 (          ) 광물이라고 한다.

(3) 광물은 서로 다른 광물과 구별할 수 있는 고유한 (          )이 있다.

광물을 구별할 때는 광물이 가진 고유한 특성을 이용해서 분류할 수 있어.

## 1-2

표는 조암 광물을 어떤 기준에 따라 구분한 것을 나타낸 것이다.

| (가) | (나) |
|---|---|
| ▲ 장석   ▲ 석영 | ▲ 흑운모   ▲ 휘석   ▲ 각섬석 |

조암 광물을 (가)와 (나)로 분류하는 기준을 쓰시오.          (          )

## 1-3

그림은 지각을 이루는 조암 광물의 부피 비를 나타낸 것이다. 빈칸에 알맞은 말을 쓰시오.

ⓒ 12 %
휘석 11 %
각섬석 5 %
흑운모 5 %
ⓐ 51 %
기타 16 %

용어 풀이

＊**조암**(造 만들다, 巖 바위) **광물:** 암석을 구성하는 주된 20여 종의 광물

**광물의 특성**

광물은 종류에 따라 고유한 특성(색, 조흔색, 굳기, 자성, 염산 반응)이 있는데,
이를 이용하여 서로 다른 광물을 구별할 수 있다.

### 중요 개념

● 광물의 특성②

| 특성 | 내용 | 예 |
|------|------|-----|
| 조흔색 | 광물 가루의 색으로, *조흔판에 긁어서 확인 | 색: 노란색<br>금(노란색), 황동석(녹흑색), 황철석(검은색)<br>자철석(검은색), 적철석(붉은색), 흑운모(흰색) — 색: 검은색 |
| 굳기 | 광물의 단단하고 무른 정도 | 광물끼리 서로 긁었을 때 상대적으로 무른 광물이 긁힌다.<br>예 석영과 방해석을 긁으면 ❶( ㅂㅎㅅ )이 긁힌다. ➡ 굳기 비교: 석영>방해석 |
| 자성 | 쇠붙이를 끌어당기는 성질 | ❷( ㅈㅊㅅ )은 쇠붙이를 끌어당김 |
| 염산 반응 | 묽은 염산과 반응하여 거품 발생 | 묽은 염산을 떨어뜨리면 거품(이산화 탄소 기체)이 발생<br>예 방해석 – 조흔색은 흰색이다. |

**Tip**

**광물의 구별**
• 광물을 구별하는 특성:
 색, 조흔색, 굳기, 자성,
 염산 반응 등
• 광물을 구별하는 특성
 이 아닌 것: 크기, 무게,
 부피, 길이 등

답 ❶ 방해석 ❷ 자철석

# 개념 원리 확인

○정답과 해설 **6쪽**

## 2-1

광물을 구별할 수 있는 광물의 특성과 그에 해당하는 내용을 옳게 연결하시오.

서로 다른 광물을 구별할 수 있는 광물의 고유한 특성에는 색, 조흔색, 굳기, 자성, 염산 반응 등이 있어.

(1) 자성 •
(2) 굳기 •
(3) 조흔색 •
(4) 염산 반응 •
(5) 색 •

• ㉠ 광물 가루의 색으로, 조흔판에 긁어서 확인
• ㉡ 광물의 단단하고 무른 정도
• ㉢ 쇠붙이를 끌어당기는 성질
• ㉣ 묽은 염산과 반응하여 거품 발생
• ㉤ 겉으로 보이는 색깔

## 2-2

다음은 광물의 특성에 대한 설명이다. 빈칸에 알맞은 말을 쓰시오.

(1) 자철석은 (          )이 있어 클립이 달라붙는다.

(2) 방해석에 묽은 (          )을 떨어뜨리면 거품이 발생한다.

(3) 석영과 방해석은 색이 모두 투명하여 비슷해 보이지만 (          )를 이용하여 구별할 수 있다.

(4) 황동석과 황철석은 겉으로 보이는 색은 비슷하지만 (          )이 다르므로 이를 통해 구별할 수 있다.

## 2-3

그림은 야외에서 여러 광물을 채집한 후 광물을 특성에 따라 구분하는 방법에 대해 세 친구가 나눈 대화를 나타낸 것이다. 옳지 <u>않게</u> 말한 사람을 쓰시오. (          )

클립을 대어 보고 클립이 달라붙은 것끼리 모아 보자.

부피를 측정하여 부피가 같은 것끼리 모아 보자.

조흔판에 긁어 광물 가루 색이 같은 것끼리 모아 보자.

은수        은지        용하

**용어 풀이**

＊ **조흔판**(條 가지, 痕 흔적, 板 널빤지): 광물을 긁어 광물 가루의 색깔을 확인할 때 사용하는 초벌구이 자기 판

**대표 기출문제** 주제 1 암석을 이루는 광물

## 1-1

광물에 대한 설명으로 옳은 것을 보기 에서 모두 고른 것은?

보기

ㄱ. 암석을 이루는 작은 알갱이를 광물이라고 한다.

ㄴ. 모든 암석은 한 가지 광물로 이루어져 있다.

ㄷ. 암석을 구성하는 주된 광물을 조암 광물이라고 한다.

ㄹ. 지각을 이루는 조암 광물 중 가장 많은 부피를 차지하는 광물은 석영이다.

① ㄱ          ② ㄴ          ③ ㄱ, ㄷ

④ ㄴ, ㄷ        ⑤ ㄱ, ㄴ, ㄷ

## 1-2

그림은 광물에 대해 동영이와 유미가 나눈 대화를 나타낸 것이다.

대부분 여러 종류의 암석이 모여 광물을 구성해.

석영과 장석은 겉보기에 밝은색을 띠어.

동영          유미

옳지 <u>않게</u> 말한 사람을 쓰고, 대화 내용을 옳게 고치시오.

## 1-3

그림은 화강암을 이루고 있는 광물을 나타낸 것이다.

㉠ 반짝이는 검은색 광물

㉡ 투명하게 보이는 광물

㉢ 흰색, 분홍색을 띤 광물

화강암

이에 대해 옳은 것을 보기 에서 모두 고른 것은?

보기

ㄱ. ㉠은 흑운모이다.

ㄴ. ㉡은 석영이다.

ㄷ. ㉢은 장석이다.

① ㄱ          ② ㄴ          ③ ㄷ

④ ㄱ, ㄴ        ⑤ ㄱ, ㄴ, ㄷ

Hint 화강암은 주로 흑운모, 석영, 장석으로 이루어진다.

**문제 해결 Point**

가이드 암석이 다양한 광물로 이루어져 있음을 알고, **암석과 광물**, **조암 광물**의 차이점을 구분할 수 있어야 한다.

해결 Point 암석은 다양한 종류의 크고 작은 알갱이들로 이루어지는데 이러한 작은 알갱이를 **광물**이라고 한다. 지구에는 수천 종류의 광물이 있는데 그중 암석을 구성하는 주된 광물을 **조암 광물**이라고 한다.

조암 광물에는 장석, 석영, 휘석, 각섬석, 흑운모, 감람석 등이 있다. 이 중 가장 많은 부피를 차지하는 광물은 장석이다.

오개념 주의 한 가지 광물로 이루어진 암석도 있지만 대부분의 암석은 여러 종류의 광물로 이루어져 있다.

**대표 기출문제** 주제2 광물의 특성

## 2-1

그림은 광물을 구별하기 위한 실험을 보고 세 친구가 나눈 대화를 나타낸 것이다.

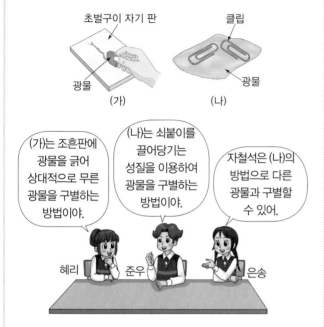

초벌구이 자기 판
클립
광물
(가)
광물
(나)

(가)는 조흔판에 광물을 긁어 상대적으로 무른 광물을 구별하는 방법이야.

(나)는 쇠붙이를 끌어당기는 성질을 이용하여 광물을 구별하는 방법이야.

자철석은 (나)의 방법으로 다른 광물과 구별할 수 있어.

혜리      준우      은송

옳지 <u>않게</u> 말한 사람을 쓰시오.

**문제 해결 Point**

가이드 광물의 특성인 **조흔색**, **자성**으로 서로 다른 광물을 구별할 수 있음을 알고, 조흔색이 광물 가루의 색임을 기억해야 한다.

해결 Point (가)는 조흔판에 광물을 긁었을 때 나타나는 광물 가루의 색인 조흔색으로 광물을 구별하는 방법이다. 그 예로 금, 황동석, 황철석은 겉으로는 모두 노란색을 띠지만 광물 가루의 색인 조흔색은 각각 노란색, 녹흑색, 검은색으로 달라 이를 비교하면 광물을 구별할 수 있다. (나)는 클립이나 핀과 같은 쇠붙이를 끌어당기는 성질(자성)을 이용하여 광물을 구별하는 방법이다. 자철석은 자성이 있어 다른 광물과 구별할 수 있다.

오개념 주의 광물을 조흔판에 긁어 보는 것은 조흔색을 비교하는 것이고, 두 광물을 서로 긁어 보아 긁히는 광물을 알아보는 것은 굳기를 비교하는 것이다. 조흔판에 광물을 긁는 것을 굳기를 비교하는 것으로 착각할 수 있으므로 주의하도록 한다.

## 2-2

다음은 어떤 광물의 특성을 나타낸 것이다.

- 겉으로 보이는 색은 무색 또는 흰색이다.
- 묽은 염산을 떨어뜨리면 거품이 발생한다.
- 조흔판에 긁었을 때 나타나는 색은 흰색이다.

위와 같은 특징을 지닌 광물은?

① 석영        ② 장석        ③ 자철석
④ 방해석      ⑤ 흑운모

## 2-3

다음은 흑운모와 자철석의 특성을 관찰하는 실험 방법을 나타낸 것이다.

▲ 흑운모        ▲ 자철석

(가) 광물의 겉보기 색을 관찰한다.
(나) 클립을 광물에 접촉하여 본 후 자성이 있는지 관찰한다.
(다) 묽은 염산을 떨어뜨려 어떠한 변화가 일어나는지 관찰한다.

흑운모과 자철석을 구별하는 방법으로 옳은 것을 모두 고른 것은?

① (가)        ② (나)        ③ (다)
④ (가), (나)   ⑤ (나), (다)

Hint 자철석은 자성이 있어 쇠붙이를 끌어당긴다.

# 풍화로 만들어진 토양

주제 1 **풍화 작용**

지표의 암석은 오랜 시간에 걸쳐 물, 공기, 식물 뿌리 등에 의해 암석의 성분이 변하거나 잘게 부서지게 되는데, 이를 풍화 작용이라고 한다.

## 중요 개념

**\*풍화 작용** 지표의 ❶( ㅇㅅ )이 오랜 시간에 걸쳐 잘게 부서지거나 암석의 성분이 변하는 현상

• 풍화의 원인: 물, 공기, 생물 등이 주요 원인이다.

| 기계적 풍화 | 화학적 풍화 |
|---|---|
| 암석이 외부의 힘으로 인해 잘게 부서지는 것 ㉔ 물이 어는 작용, 식물 뿌리의 작용 | 암석이 화학 반응으로 인해 성분이 변하는 것 ㉔ 지하수의 용해 작용 – 석회 동굴이 만들어진다. |

• 풍화가 잘 일어나는 조건: 암석이 잘게 부서져 ❷( ㅍㅁㅈ )이 증가할 경우, 강수량이 많은 경우, 기온이 낮은 경우, 기온이 높고 강수량이 많은 경우

└ 암석이 잘게 부서질수록 공기나 물 등과 닿는 표면적이 증가하기 때문에 풍화가 잘 일어난다.

> **Tip**
>
> **기온·강수량과 풍화**
> ➡ 기온이 낮은 지역에서는 물이 얼면서 암석이 잘게 부서지는 현상이 잘 일어난다. 또한, 기온이 높고 강수량이 많으면 암석이 물에 녹는 현상(석회암의 풍화)이 잘 일어난다.

🔲 ❶ 암석 ❷ 표면적

# 개념 원리 확인

○ 정답과 해설 **7쪽**

암석은 오랜 시간 동안 물, 식물 뿌리, 공기 등에 의해 잘게 부서지거나 성분이 변하는 풍화 작용이 일어나.

## 1-1

다음은 풍화 작용에 대한 설명이다. 빈칸에 알맞은 말을 쓰시오.

(1) 지표의 암석이 오랜 시간에 걸쳐 잘게 부서지거나 성분이 변하는 현상을 (          )라고 한다.

(2) 암석이 잘게 부서질수록 (          )이 증가하므로 풍화가 잘 일어난다.

(3) 석회암 지대에서는 지하수에 의한 (          ) 작용이 활발하게 일어나 풍화가 일어난다.

## 1-2

풍화 작용을 일으키는 원인과 풍화 작용의 예를 바르게 연결하시오.

(1) 물 •

(2) 지하수 •

(3) 뿌리 •

• ㉠

• ㉡

• ㉢

풍화가 잘 일어나는 조건에는 암석이 잘게 부서져 표면적이 증가할 경우, 강수량이 많은 경우, 기온이 낮은 경우, 기온이 높고 강수량이 많은 경우 등이 있어.

**용어 풀이**

＊**풍화**(風 바람, 化 될): 지표를 구성하는 암석이 햇빛, 공기, 물, 생물 등의 작용으로 점차 분해되는 현상

＊**용해**(溶 녹을, 解 풀): 물질이 액체 속에서 균일하게 녹아 용액이 만들어지는 현상

## 1-3

다음은 풍화가 잘 일어나는 조건에 대한 설명이다. (       ) 안에서 알맞은 말을 고르시오.

(1) 암석이 ( 작게 / 크게 ) 부서지면 풍화 작용이 더 잘 일어난다.

(2) 기온이 높고 강수량이 ( 적을 / 많을 )수록 석회암의 풍화가 잘 일어난다.

(3) 기온이 ( 낮은 / 높은 ) 지역에서 암석의 틈으로 스며든 물이 얼고 녹는 과정이 반복되면서 암석이 작은 조각으로 부서진다.

**토양**

암석은 오랫동안 풍화를 거쳐 잘게 부서지고 성분이 변하여 식물이 자랄 수 있는 토양이 된다.

**중요 개념**

● **토양** 풍화 작용이 오랫동안 지속되어 단단한 암석이 잘게 부서지고 성분이 변하면서
❶( ㅅㅁ )이 자랄 수 있게 된 흙 – 대부분 토양은 암석의 풍화 작용을 통해 생성된다.
　• 토양의 생성 과정: 암석이 풍화되어 잘게 부서지는 과정이 반복 → 식물이 자랄 수 있는
　❷( ㅌㅇ )이 만들어짐 → 다양한 식물들이 자라면서 토양이 두꺼워짐
● **토양을 이루는 층의 생성 순서** 풍화 작용을 거의 받지 않은 암석층 → 암석의 풍화로 돌조각
과 모래로 이루어진 층 → 식물이 자랄 수 있고, 생물 활동이 가장 활발한 층 → 지표 부근의
토양에서 빗물에 녹은 물질과 진흙 등이 내려와 만들어진 층
● **토양의 보존** 한번 훼손된 토양이 복원되는 데에는 매우 오랜 시간이 걸리므로 토양이 유실
되거나 오염되지 않도록 잘 보존해야 한다.

**Tip**

**토양에서 식물이 자랄 수 있는 까닭**
➡ 토양의 가장 겉 부분 흙에는 동식물이 썩어서 만들어진 물질 등이 포함되어 있어 식물이 자라는 데 필요한 영양분으로 쓰이기 때문이다.

답 ❶식물 ❷토양

# 개념 원리 확인

토양은 암석이 오랫동안 풍화를 받아 잘게 부서지고 성분이 변하여 식물이 자랄 수 있게 된 흙이야.

## 2-1

빈칸에 알맞은 말을 쓰시오.

> 지표에 노출된 암석에서는 물, 공기, 식물 뿌리 등으로 인해 풍화 작용이 일어난다. 이러한 풍화 작용이 오랫동안 지속되면 단단한 암석이 잘게 부서지고 성분이 변하면서 식물이 자랄 수 있는 흙이 되는데, 이를 (　　　　　)이라고 한다.

## 2-2

다음은 토양의 생성 과정을 순서 없이 나타낸 것이다. 토양의 생성 과정을 순서대로 나열하시오.

> (가) 식물이 자랄 수 있는 토양이 만들어진다.
> (나) 다양한 식물이 자라면서 토양이 두꺼워진다.
> (다) 암석이 풍화되어 잘게 부서지는 과정이 반복된다.

(　　　　　　　　　　)

## 2-3

A가 맨 위에 있다고 해서 가장 나중에 만들어진 것은 아니야.

그림은 토양의 단면을 나타낸 것이다.

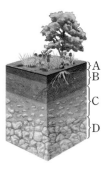

(1) A~D 중 가장 처음에 만들어진 층의 기호를 쓰시오. (　　　　)

(2) A~D 중 가장 나중에 만들어진 층의 기호를 쓰시오. (　　　　)

**대표 기출문제** 주제 1 풍화 작용

## 1-1

그림은 암석이 풍화되어 잘게 부서지는 과정을 나타낸 것이다.

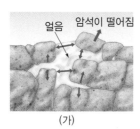
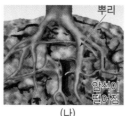

(가)                    (나)

이에 대한 설명으로 옳은 것을 모두 고르면? (정답 2개)

① (가)는 물의 어는 작용에 의해 일어난다.

② (가)는 여름이나 더운 지방에서 일어난다.

③ (나)는 식물의 뿌리가 성장할 때 일어난다.

④ (가)로 인해 암석이 잘게 부서지면 풍화가 잘 일어나지 않는다.

⑤ (나)로 인해 암석이 잘게 부서지면 풍화가 잘 일어나지 않는다.

**문제 해결 Point**

가이드 **풍화**의 원인에는 물, 식물 뿌리 등이 있다. 물과 식물 뿌리가 풍화 작용에 어떤 영향을 끼치는지 무작정 외우지 말고 이해하도록 한다.

해결 Point (가)는 암석이 물의 어는 작용에 의해 풍화되는 것을 나타낸다. 암석의 틈으로 스며든 물이 얼면서 부피가 커지면 암석 틈이 점점 더 벌어진다. 이 과정이 반복되면서 암석은 작은 조각으로 부서진다.

(나)는 암석이 식물 뿌리의 작용에 의해 풍화되는 것을 나타낸다. 암석의 좁은 틈에서 자라는 뿌리는 성장하면서 암석의 틈을 벌리고, 점점 그 틈이 커지면서 암석이 부서진다.

물이 어는 작용이나 식물 뿌리에 의해 암석이 잘게 부서지면 표면적이 증가하기 때문에 풍화가 잘 일어난다.

## 1-2

그림은 석회 동굴이 만들어지는 과정을 나타낸 것이다.

이에 대한 설명으로 옳은 것을 보기 에서 모두 고른 것은?

보기

ㄱ. 석회암 지대에서 지하수에 의한 용해 작용이 활발하게 일어나 석회 동굴이 만들어진다.

ㄴ. 암석의 틈으로 스며든 물이 얼면서 부피가 커지면 암석 틈이 벌어져 석회 동굴이 만들어진다.

ㄷ. 암석의 좁은 틈에서 자라는 뿌리가 성장하면서 암석의 틈을 벌려 석회 동굴이 만들어진다.

① ㄱ          ② ㄴ          ③ ㄱ, ㄴ
④ ㄴ, ㄷ       ⑤ ㄱ, ㄴ, ㄷ

## 1-3

풍화가 잘 일어나는 조건에 대한 설명으로 옳은 것을 보기 에서 모두 고른 것은?

보기

ㄱ. 기온이 높고 강수량이 많은 경우

ㄴ. 암석이 잘게 부서져 표면적이 감소하는 경우

ㄷ. 기온이 낮은 지역에서 물이 얼면서 암석이 잘게 부서지는 경우

① ㄱ, ㄴ        ② ㄴ          ③ ㄷ
④ ㄱ, ㄷ        ⑤ ㄴ, ㄷ

**Hint** 암석이 잘게 부서지면 주변의 물이나 공기 등과 접촉할 수 있는 표면적이 증가해 풍화가 잘 일어난다.

**대표 기출문제** 주제 **2** 토양

## 2-1

그림은 성숙한 토양의 단면을 나타낸 것이다. 이에 대한 설명으로 옳지 않은 것은?

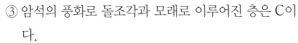

① 생물 활동이 매우 활발한 층은 A이다.

② 지표 부근의 토양에서 빗물에 녹은 물질이 내려와 만들어진 층은 B이다.

③ 암석의 풍화로 돌조각과 모래로 이루어진 층은 C이다.

④ 풍화 작용을 거의 받지 않은 암석층은 D이다.

⑤ 토양이 생성되는 순서는 D → C → B → A이다.

## 2-2

토양의 생성에 대한 설명으로 옳은 것은?

① 토양은 암석이 풍화되어 만들어진다.

② 성숙한 토양은 크게 5개의 층을 이룬다.

③ 토양이 만들어지면 어떠한 생물도 살 수 없다.

④ 지표에 가까이 있는 층일수록 먼저 만들어진다.

⑤ 암석이 계속 풍화를 받으면 점차 얇은 토양층이 만들어진다.

**Hint** 토양을 이루는 4개의 층 중 가장 먼저 만들어진 층은 기반암이다.

### 문제 해결 Point

가이드  **토양**을 이루는 각 층의 특징을 알고 토양이 만들어지는 과정을 이해하도록 한다.

해결 Point  성숙한 토양은 크게 4개 층을 이룬다. 토양이 생성되는 순서는 D → C → A → B로, 지표에서 가장 멀리 떨어져 있는 암석층이 가장 먼저 만들어진다. A는 생물 활동이 매우 활발한 층, B는 지표 부근의 토양에서 빗물에 녹은 물질과 진흙 등이 쌓여 만들어진 층, C는 암석의 풍화로 돌조각과 모래로 이루어진 층, D는 풍화 작용을 거의 받지 않은 암석층이다.

오개념 주의  일반적으로 토양은 아래부터 위의 순서로 만들어진다고 생각할 수 있다. B는 A에서 빗물에 녹은 물질과 진흙 등이 쌓여 만들어진 층으로, A가 생성된 후 B가 만들어진다는 사실을 기억해야 한다.

## 2-3

그림은 현지와 은수가 토양에 대해 나눈 대화를 나타낸 것이다.

토양은 자연적인 침식이나 도시 개발 등으로 유실될 수 있어.

한번 훼손된 토양을 원상태로 되돌리는 것은 쉬운 일이야.

현지          은수

옳지 <u>않게</u> 말한 사람을 쓰고, 대화 내용을 옳게 고치시오.

# 누구나 100점 테스트

## 01
지구계 ▶ p.12

그림은 지구계를 구성하는 요소 사이의 상호 작용을 나타낸 것이다. 화산이 폭발하여 분출된 화산재가 햇빛을 가려 지구의 기온이 내려가는 것은 A~E 중 어느 권역 사이의 상호 작용에 해당하는가?

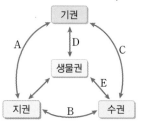

① A
② B
③ C
④ D
⑤ E

## 02
지권의 층상 구조 ▶ p.14

그림은 지구 내부 구조를 모형으로 나타낸 것이다. 이에 대한 설명으로 옳은 것은?

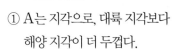

① A는 지각으로, 대륙 지각보다 해양 지각이 더 두껍다.
② B는 지구 전체 부피에서 가장 많이 차지한다.
③ C는 내핵이다.
④ D는 액체 상태이다.
⑤ C와 D는 주로 마그마로 이루어져 있다.

## 03
변성암 ▶ p.24

그림은 암석에 줄무늬가 생성되는 과정을 나타낸 것이다.

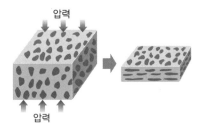

이와 같은 원리로 나타나는 것은?

① 층리
② 엽리
③ 지층
④ 화석
⑤ 화산암

## 04
화성암 ▶ p.18

그림은 화성암의 생성 장소를 나타낸 것이다. 이에 대한 설명으로 옳은 것을 보기 에서 모두 고른 것은?

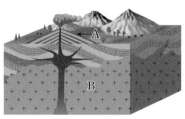

보기
ㄱ. A에서는 지표에 분출된 마그마가 빠르게 식어서 만들어진 암석이 생성된다.
ㄴ. B에서는 마그마가 지하 깊은 곳에서 천천히 식어서 만들어진 암석이 생성된다.
ㄷ. A의 암석은 B의 암석에 비해 암석을 구성하는 알갱이가 크다.

① ㄱ
② ㄴ
③ ㄷ
④ ㄱ, ㄴ
⑤ ㄴ, ㄷ

## 05
퇴적암 ▶ p.20

다음에서 설명하고 있는 암석의 종류로 옳은 것은?

• 층리가 나타나기도 한다.
• 퇴적물이 쌓여서 굳어진 암석이다.
• 과거에 살았던 생물의 유해나 흔적이 발견되기도 한다.

▲ 역암    ▲ 사암    ▲ 셰일
〈암석의 예〉

① 화산암
② 심성암
③ 화성암
④ 변성암
⑤ 퇴적암

**06** 그림은 암석을 화성암, 퇴적암, 변성암의 세 종류로 구분하는 기준에 대해 두 친구가 나눈 대화를 나타낸 것이다. 옳게 말한 사람의 이름을 쓰시오.

암석의 크기에 따라 구분할 수 있어.

은아

암석의 생성 과정에 따라 구분할 수 있어.

준수

암석의 구분 ▶ p. 18, 20, 24

암석의 순환 ▶ p. 26

**07** 그림은 암석의 순환 과정을 나타낸 것이다.

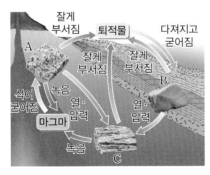

**A~C에 들어갈 암석의 이름을 옳게 짝 지은 것은?**

| | A | B | C |
|---|---|---|---|
| ① | 화성암 | 퇴적암 | 변성암 |
| ② | 화성암 | 변성암 | 퇴적암 |
| ③ | 퇴적암 | 변성암 | 화성암 |
| ④ | 퇴적암 | 화성암 | 변성암 |
| ⑤ | 변성암 | 퇴적암 | 화성암 |

광물의 굳기 ▶ p. 32

**08** 다음은 광물의 굳기를 알아보기 위한 실험을 하여 얻은 결과이다.

- A는 B로 긁었더니 긁히지 않았다.
- C는 A로 긁었더니 긁히지 않았다.
- C는 B로 긁었더니 긁히지 않았다.

광물 A~C 중 가장 단단한 광물을 쓰시오.

광물의 특성 ▶ p. 32

**09** 그림은 겉으로 보기에 비슷한 석영과 방해석을 나타낸 것이다.

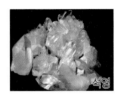석영 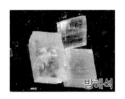방해석

이 광물들을 구분할 수 있는 광물의 특성을 보기 에서 모두 고르시오.

보기
ㄱ. 색      ㄴ. 굳기      ㄷ. 묽은 염산과의 반응

풍화 작용 ▶ p. 36

**10** 그림은 암석이 풍화되어 잘게 부서지는 과정을 나타낸 것이다.

 ➡ 물

이에 대한 설명으로 옳은 것을 보기 에서 모두 고른 것은?

보기
ㄱ. 기온이 높은 지역에서 잘 일어난다.
ㄴ. 암석 틈으로 스며든 물이 얼면서 부피가 커지기 때문에 일어난다.
ㄷ. 석회암 지대에서 지하수에 의한 용해 작용이 활발할 때 일어난다.

① ㄱ          ② ㄴ          ③ ㄷ
④ ㄱ, ㄴ          ⑤ ㄴ, ㄷ

## ✏️ 1주에 배운 개념을 그림으로 저장

**지권의 구조**

지각 — 고체 상태의 암석, 대륙 지각과 ❶ [　　　] 지각으로 구분

맨틀 — 고체 상태의 암석, 지구 내부 구조 중 가장 큰 부피 차지
맨틀의 구성 물질이 녹으면 마그마가 됨

외핵 — 액체 상태, 철과 니켈로 이루어짐

내핵 — ❷ [　　　] 상태, 철과 니켈로 이루어짐

**다양한 암석**

화성암

| 화산암 | 심성암 |
| --- | --- |
| 마그마가 지표 부근에서 식어 만들어짐 | 마그마가 지하 ❸ [　　　] 곳에서 식어 만들어짐 |
| ▲ 현무암 | ▲ 화강암 |

**퇴적암**
퇴적물이 쌓여 다져지고 굳어져 만들어짐(층리, 화석)
▲ 역암

**변성암**
암석이 높은 열과 압력을 받아 만들어짐(엽리 생성)
▲ 편마암

**암석의 순환**

기존의 암석이 잘게 부서지는 작용이나 지각 변동 등으로 인해 끊임없이 다른 형태의 ❹ [　　　]으로 변하는 과정

**광물 — 광물의 특성**

| 색 | ❺ [　　　] | 굳기 | 자성 | 염산 반응 |
| --- | --- | --- | --- | --- |

**풍화로 만들어진 토양**

❻ [　　　]
지표의 암석이 오랜 시간에 걸쳐 잘게 부서지거나 암석의 성분이 변하는 현상

**토양**

생성 순서와 특징
③ 생물 활동이 활발히 일어남
④ 지표 부근의 토양에서 빗물에 녹은 물질이 내려와 생성
② 암석의 풍화로 돌조각과 모래로 이루어짐
① 풍화 작용을 거의 받지 않음

답 ❶ 해양 ❷ 고체 ❸ 깊은 ❹ 암석 ❺ 조흔색 ❻ 풍화

# ✏️ 재미있는 개념 완성 퀴즈

다음은 천재가 모험을 떠나는 모습을 나타낸 것이다. 각 문제를 풀어 목적지에 도착하시오.

답 ❶ 지권 ❷ 외핵 ❸ 화성암

과학의 다양한 유형 문제를 해결하는 방법을 연습하면서 사고력을 기르자.

## 특강 | 창의·융합·코딩

**1** 다음은 지구 모형을 만드는 과정을 나타낸 것이다.

❶ 투명 필름 위에 유성 펜으로 부 채꼴 모양의 호를 그린다.

❷ 투명 필름이 원뿔 모양이 되도 록 고정한 후 색깔이 다른 고무 찰흙을 채워 넣는다.

❸ 지구 모형을 완성한다.

문제 해결 **Tip**
지구 모형의 지각의 두께 는 비례식을 이용하여 계 산할 수 있어.

**이 모형에서 지구 모형의 반지름이 64 cm라고 할 때, 모형에서 지각의 두께를 계 산하시오.**(단, 실제 지구의 반지름은 6400 km이고, 지각의 두께는 35 km로 계산한다.)

**수학 배경 지식** 〈비례식〉 실제 지구의 반지름 : 실제 지각의 두께 = 지구 모형의 지구 반지름 : 지구 모형의 지 각 두께

**2** 그림은 지구 내부를 조사하기 위한 방법에 대해 두 친구가 나눈 대화를 나타낸 것 이다.

문제 해결 **Tip**
지진파는 지진이 발생할 때 생긴 진동이 전달되는 것으로, 지진파를 분석하 여 지구 내부를 간접적으 로 조사할 수 있어.

밑줄 친 곳에 알맞은 말을 쓰시오.

**3** 그림은 세 가지 암석을 어떤 기준에 따라 분류하는 과정을 나타낸 것이다.

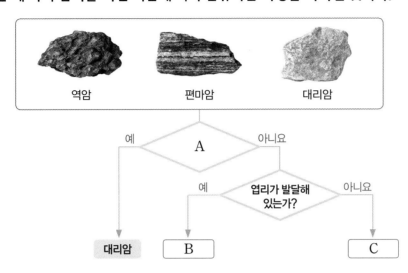

역암   편마암   대리암

예 ── A ── 아니요

예 ── 엽리가 발달해 있는가? ── 아니요

대리암   B   C

문제 해결 **Tip**
묽은 염산을 대리암에 떨어뜨리면 거품이 발생해. 줄무늬인 엽리는 편마암에서 나타나는 특징이야.

(1) A에 알맞은 암석을 구분하는 기준을 쓰시오.

(2) B와 C에 알맞은 암석을 각각 쓰시오.

**4** 그림은 겉보기에 색이 비슷해 보이는 황철석과 황동석을 순서 없이 나타낸 것이다.

문제 해결 **Tip**
황철석과 황동석은 겉보기에 색이 비슷해 보여 겉으로만 봐서는 구분하기 어렵지만 조흔색을 비교하면 구분할 수 있어.

두 광물을 구분할 수 있는 방법을 다음 단어를 포함하여 서술하시오.

조흔판        조흔색

**5** 그림은 암석의 순환 과정을 나타낸 것이다.

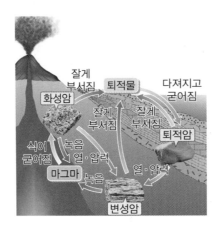

● 문제 해결 **Tip**
암석이 끊임없이 다른 암석으로 변하는 과정을 암석의 순환이라고 해.

위의 암석의 순환 과정을 토대로 빈칸에 알맞은 말을 쓰시오.

> • 마그마가 식어 굳어지면 ㉠(          )이 된다.
> • 퇴적물이 다져지고 굳어지면 ㉡(          )이 된다.
> • 기존의 암석이 높은 열과 압력을 받아 변성되면 ㉢(          )이 된다.

**6** 그림은 네 가지 광물을 분류하는 과정을 나타낸 것이다.

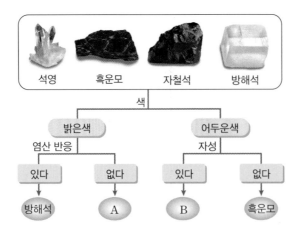

● 문제 해결 **Tip**
광물은 광물이 가진 고유한 특성을 이용하여 분류하는데, 이러한 특성에는 색, 조흔색, 굳기, 자성, 염산 반응 등이 있어.

A와 B에 들어갈 광물을 쓰시오.

**7** 그림은 왼쪽의 퇴적물이 굳어져 생성된 암석을 보고 두 친구가 나눈 대화를 나타낸 것이다.

이 암석에서 나타나는 나란한 줄무늬를 층리라고 해.

준수

이 암석에서 나타나는 나란한 줄무늬를 엽리라고 해.

지나

● 문제 해결 **Tip**
퇴적암은 크기나 종류가 다른 퇴적물이 번갈아 쌓여 생긴 나란한 줄무늬인 층리와 과거에 살았던 생물의 유해나 흔적이 굳어져 암석에 남은 화석이 발견되기도 해.

(1) 두 친구의 대화 중 옳게 말한 사람을 쓰시오.

(2) 위의 암석은 화성암, 퇴적암, 변성암 중 어느 것에 해당하는지 쓰시오.

(3) (2)의 답과 같이 대답한 까닭을 쓰시오.

**8** 그림은 풍화에 대해 A와 B가 나눈 대화를 나타낸 것이다. 빈칸에 알맞은 말을 쓰시오.

● 문제 해결 **Tip**
암석이 잘게 부서져 표면적이 증가하면 풍화가 더 잘 일어나지.

나는 크기가 커서 잘게 부서진 너보다 풍화가 잘 일어나.

흣~ 모르는 소리!

나는 잘게 부서지면서 주변의 물이나 공기와 접촉할 수 있는 (          )이 증가하기 때문에 한 덩어리였을 때보다 풍화가 더 잘 일어나.

A          B                    B

# 2주에는 무엇을 공부할까? ❶

**배울 내용**

| 1일 | 움직이는 대륙 | 4일 | 무게와 질량 |
| 2일 | 지권의 운동 | 5일 | 탄성력 |
| 3일 | 중력 | | |

# 2주에는 무엇을 공부할까? ❷

## ● 지진

> 앗, 집이 흔들려!

> 설마, 지진?

**Quiz 1**
땅이 지구 내부에서 작용하는 힘을 받아 끊어지면서 지표면이 흔들리는 현상을 (　　　　)이라고 한다.

## ● 지진이 발생했을 때의 대처 방법

> 책상 아래로 들어가 머리와 몸을 보호하고, 책상 다리를 꼭 잡아야 해.

**Quiz 2**
전기와 가스를 차단하여 (　　　　)를 예방하고, 밖으로 나갈 수 있게 문을 열어 두어야 해.

**Quiz 3**
승강기 대신 (　　　　)을 이용해 신속하게 이동해야 해.

답 1. 지진 2. 화재 3.계단

물체의 무게

Quiz 4
용수철에 매다는 추의 개수가 늘어남에 따라 용수철이 늘어난 길이는 (　　　) 증가한다.

Quiz 5
용수철이 늘어난 길이를 측정하면 물체의 (　　　)를 알 수 있다.

누가 나를 아래로 훅 당기는 것 같아!

Quiz 6
지구가 물체를 당기는 힘을 (　　)이라고 한다.

우와! 순식간에 떨어졌다가 다시 튀어오르네.

추의 수가 많아질수록 용수철도 점점 늘어나지? 자! 몽이도 매달려 볼래?

어머나! 크기에 비해 너무 무게가 많이 나왔어요.

그야. 무거우니까.

중량 700g
요금 13,000

우체국 택배

Quiz 7
우체국에서는 소포를 보낼 때 소포의 정확한 (　　)를 측정하기 위해 저울을 사용한다.

답 4. 일정하게 5. 무게 6. 중력 7. 무게

# 2주 1일 움직이는 대륙

## 주제 1 대륙 이동설

약 100년 전에 독일의 과학자 베게너는 남아메리카 대륙과 아프리카 대륙의 마주 보는 해안선 모양이 비슷한 것으로부터 두 대륙이 과거에는 붙어 있었다는 대륙 이동설을 주장했다.

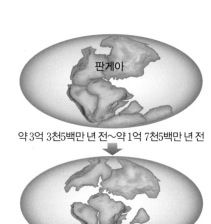

판게아

약 3억 3천5백만 년 전~약 1억 7천5백만 년 전

약 1억 5천만 년 전

약 6천5백만 년 전

현재

### 중요 개념

● **대륙 이동설** 과거 한 덩어리였던 거대한 대륙인 ❶( ㅍㄱㅇ )가 서서히 갈라지고 이동하여 현재와 같은 대륙 분포가 되었다는 학설 – 대륙은 과거로부터 현재까지 계속해서 이동하고 있다.

● **대륙을 이동시키는 힘**
   • 베게너는 여러 가지 대륙 이동의 증거를 제시했지만, 대륙을 이동시키는 ❷( ㅇㄷㄹ )을 설명하지 못하여 당시에는 대륙 이동설이 받아들여지지 않았다.
   • 오늘날에는 대륙이 맨틀 대류에 의해 서서히 끊임없이 움직이고 있음이 밝혀졌다.

**Tip**

**맨틀 대류설**
➡ 지각 아래 있는 맨틀의 열대류가 대륙을 이동시키는 원동력이라는 학설이다.

답 ❶ 판게아 ❷ 원동력

## 1-1

다음 글의 빈칸에 알맞은 말을 쓰시오.

베게너는 과거에 '판게아' 라는 하나의 대륙이 갈라지고 이동하여 현재의 대륙 분포가 되었다고 설명하는 (                    )을 주장하였다. 그러나 대륙을 이동시키는 원동력을 설명하지 못하여 당시의 과학자들에게 인정받지 못하였다.

베게너는 대륙 이동의 증거를 제시했지만, 대륙 이동의 원동력을 설명하지 못했대.

## 1-2

대륙 이동설에 대한 설명으로 옳은 것은 ○표, 옳지 않은 것은 ×표를 하시오.

(1) 대륙 이동설은 베게너가 주장한 이론이다.                                              (          )

(2) 베게너의 대륙 이동설은 대륙 이동의 원동력은 설명했으나 증거가 부족하여 당시에는 인정받지 못했다.                                              (          )

(3) 대륙 이동설은 과거에 한 덩어리였던 거대한 대륙이 갈라지고 이동하여 현재와 같은 모습이 되었다는 이론이다.                                              (          )

## 1-3

그림은 대륙 이동의 과정을 순서 없이 나타낸 것이다.

(가)            (나)            (다)

대륙의 이동 과정을 오래된 것부터 순서대로 나열하시오.              (                    )

**용어 풀이**

\* **판게아**(pan 전체, gaea 땅): 베게너가 과거 한 덩어리였던 커다란 대륙에 붙인 이름

# 움직이는 대륙

## 주제 2  대륙 이동설의 증거

베게너는 대륙 이동설의 증거로 해안선 모양의 일치 외에도 화석의 분포, 빙하의 흔적, 산맥의 분포 등을 제시하였다.

**증거1. 해안선 모양**
남아메리카 대륙과 아프리카 대륙의 해안선 모양이 거의 일치함!

**증거2. 화석의 분포**
대륙을 하나로 모으면 화석의 분포가 잘 설명됨!

**증거3. 빙하의 흔적**
대륙에 남아 있는 빙하의 흔적을 남극을 중심으로 연결하면 하나로 모아짐!

**증거4. 산맥의 분포**
북아메리카와 유럽 대륙의 산맥이 대륙을 하나로 모았을 때 잘 연결됨!

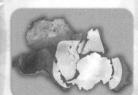

### 중요 개념

● 대륙 이동설의 증거
(1) 해안선 모양: 남아메리카 대륙의 동쪽 해안선과 아프리카 대륙의 서쪽 해안선이 퍼즐 조각처럼 잘 들어맞음
(2) 화석의 분포: 대륙을 하나로 모으면 *메소사우루스 동물 화석과 *글로소프테리스 식물 화석의 분포가 연결됨
(3) 빙하의 흔적: 여러 대륙에 남아 있는 빙하의 ❶( ㅎㅈ )을 남극을 중심으로 연결하면 여러 대륙이 하나로 잘 연결됨
(4) 산맥의 분포: 북아메리카와 유럽 대륙의 산맥은 대륙을 ❷( ㅎㄴ )로 모았을 때 연결됨

**Tip**

빙하의 흔적
➡ 현재 따뜻하고 빙하가 없는 지역에서도 빙하의 흔적이 발견되는 것은 남극에 있던 대륙이 이동했기 때문이다.

답 ❶ 흔적 ❷ 하나

# 개념 원리 확인

○정답과 해설 **10**쪽

해안선 모양, 화석의 분포, 빙하의 흔적, 산맥의 분포는 대륙 이동설의 증거야.

## 2-1

베게너가 제시한 대륙 이동설의 증거로 옳은 것은 ○표, 옳지 않은 것은 ×표를 하시오.

(1) 북아메리카 대륙과 유럽 대륙의 산맥이 연결된다. ( )

(2) 글로소프테리스 화석이 어느 한 대륙에서만 발견된다. ( )

(3) 여러 대륙에 남아 있는 과거의 빙하가 이동한 흔적이 연결된다. ( )

(4) 남아메리카와 아프리카 대륙의 마주 보는 해안선 모양이 거의 일치한다. ( )

## 2-2

그림을 참고하여 빈칸에 알맞은 말을 쓰시오.

여러 대륙에 남아 있는 ㉠( )의 흔적이
㉡( ) 대륙을 중심으로 모아지는 것으로부터 과거에는 대륙이 한 덩어리로 붙어 있었음을 알 수 있다.

아프리카 / 인도 / 남아메리카 / 남극 / 오스트레일리아

## 2-3

그림은 여러 대륙을 하나로 모았을 때 두 화석의 분포가 각각 잘 연결되는 것을 나타낸 것이다. 이는 어떤 학설을 뒷받침하는 증거인지 쓰시오. ( )

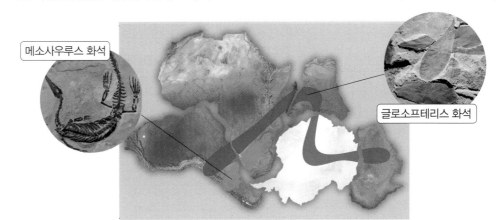

메소사우루스 화석

글로소프테리스 화석

용어 풀이

＊메소사우루스(Mesosaurus): 약 3억 년 전에 살았던 중간 크기의 도마뱀(원시 수생 파충류)

＊글로소프테리스(Glossopteris): 약 2~3억 년 전에 판게아의 남반구에 살았던 고사리 식물(양치식물)

**대표 기출문제** 주제 1 대륙 이동설

## 1-1

그림은 대륙 이동의 과정을 순서 없이 나타낸 것이다.

(가)　　　　　(나)　　　　　(다)

이에 대한 설명으로 옳지 않은 것은?

① 대륙들은 서로 가까워지는 방향으로 이동하였다.

② 대륙 이동설은 베게너가 처음으로 주장하였다.

③ 대륙들은 과거부터 현재까지 끊임없이 이동하고 있다.

④ (다)에서 한 덩어리로 붙어 있는 대륙을 판게아라고 한다.

⑤ (가)~(다)를 오래된 것부터 순서대로 나열하면 (다)−(나)−(가)이다.

## 1-2

베게너가 대륙 이동설을 발표할 당시에 인정받지 못한 이유로 옳은 것은?

① 실제로 대륙이 이동한 것이 아니기 때문

② 대륙이 이동한 시기를 설명하지 못했기 때문

③ 대륙이 이동한 방향을 설명하지 못했기 때문

④ 대륙이 이동한 속도를 계산하지 못했기 때문

⑤ 대륙을 이동시킨 원동력을 설명하지 못했기 때문

## 1-3

그림은 시간에 따른 대륙의 이동 모습을 나타낸 것이다.

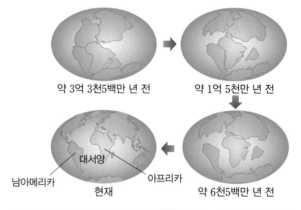

약 3억 3천5백만 년 전　　　약 1억 5천만 년 전

대서양

남아메리카　　아프리카

현재　　　약 6천5백만 년 전

이에 대한 설명으로 옳은 것을 보기 에서 모두 고른 것은?

보기

ㄱ. 약 3억 3천5백만 년 전에 판게아가 형성되었다.

ㄴ. 대륙들은 점점 가까워지는 방향으로 이동하였다.

ㄷ. 먼 미래의 대륙 분포는 현재와 달라질 것이다.

① ㄱ　　　　　② ㄴ　　　　　③ ㄷ

④ ㄱ, ㄷ　　　　⑤ ㄴ, ㄷ

**문제 해결 Point**

가이드 　과거에 한 덩어리였던 거대한 대륙이 분리되어 현재와 같은 분포가 되었다는 **대륙 이동설**을 알고 있어야 한다.

해결 Point 　대륙 이동설은 1915년에 베게너가 처음 발표한 것으로, 과거에는 모든 대륙이 하나로 붙어 있는 판게아라는 거대한 대륙을 이루고 있었지만, 이후 갈라지고 이동하여 현재의 대륙 분포가 되었다는 학설이다. 과거에 한 덩어리였던 판게아가 분리되고 이동하여 현재와 같은 분포가 되었으므로 대륙들은 서로 멀어지는 방향으로 이동하였음을 알 수 있다.

**대표 기출문제** 주제2 대륙 이동설의 증거

## 2-1

그림은 여러 대륙에 남아 있는 빙하의 흔적과 이동 방향을 나타낸 것이다.

○ 빙하로 덮였던 지역 　 → 빙하의 이동 방향

이에 대한 설명으로 옳은 것을 보기 에서 모두 고른 것은?

보기

ㄱ. 대륙은 남극에서 멀어지는 방향으로 이동하였다.

ㄴ. 추운 곳에 있던 대륙이 적도 쪽으로 이동하였다.

ㄷ. 현재 열대 기후에 속하는 지역에서 빙하의 흔적은 발견되지 않는다.

① ㄱ 　 ② ㄴ 　 ③ ㄱ, ㄴ

④ ㄴ, ㄷ 　 ⑤ ㄱ, ㄴ, ㄷ

**문제 해결 Point**

가이드 약 3억 3천5백만 년 전에는 모든 대륙이 하나로 붙어 있는 **판게아**라는 거대한 대륙을 이루고 있었지만, 이후 갈라지고 이동하여 현재의 대륙 분포가 되었다

해결 Point ㄱ, ㄴ. 그림의 여러 대륙에 남아 있는 빙하의 흔적과 이동 방향을 살펴보면 과거에는 남극을 중심으로 남아메리카, 아프리카, 인도, 오스트레일리아 대륙이 서로 붙어 있다가 남극에서 멀어지는 방향으로 이동하였음을 알 수 있다. 이는 남극의 추운 곳에 있던 대륙이 적도 쪽으로 이동한 것이다.

오개념 주의 현재 열대 기후에 속하는 지역이기 때문에 과거의 빙하 흔적이 발견되지 않는다고 생각하기 쉽다. 그림의 적도 부근에서 과거의 빙하 흔적이 있음을 알 수 있다.

## 2-2

다음은 베게너의 주장을 나타낸 것이다.

과거에 하나로 모여 있던 대륙이 오랜 시간에 걸쳐 갈라지고 이동하여 현재와 같은 대륙 분포하게 되었습니다. 이에 대한 증거로는 ___A___ 등을 들 수 있습니다.

A에 들어갈 말로 옳지 <u>않은</u> 것은?

① 전 세계의 화산대와 지진대가 거의 일치하는 것

② 북아메리카와 유럽 대륙의 산맥이 하나로 이어지는 것

③ 멀리 떨어진 대륙에 흩어져 있는 같은 종의 화석 분포 지역이 서로 연결되는 것

④ 여러 대륙에 남아 있는 빙하의 흔적이 남극 대륙을 중심으로 하나로 모아지는 것

⑤ 아프리카 대륙의 서쪽 해안선이 남아메리카 대륙의 동쪽 해안선과 잘 들어맞는 것

## 2-3

베게너는 현재의 대륙이 과거에는 하나로 모여 있었다고 주장한 대륙 이동설의 증거로 다음 네 가지를 제시하였다. 빈칸에 알맞은 말을 쓰시오.

- 북아메리카와 유럽 대륙의 ㉠(　　　)이 잘 연결된다.
- 남극 대륙을 중심으로 ㉡(　　　)의 흔적이 하나로 연결된다.
- 대륙을 하나로 모았을 때 같은 종의 생물 ㉢(　　　) 분포가 잘 설명된다.
- 남아메리카 대륙과 아프리카 대륙의 마주 보는 ㉣(　　　) 모양이 거의 일치한다.

### 주제 1  판의 이동과 경계

지구 표면은 10여 개의 크고 작은 판으로 이루어져 있다. 판의 경계에서는 지진, 화산 등의 지각 변동이 많이 일어나는데, 이는 각 판의 이동 속도와 이동 방향이 다르기 때문이다.

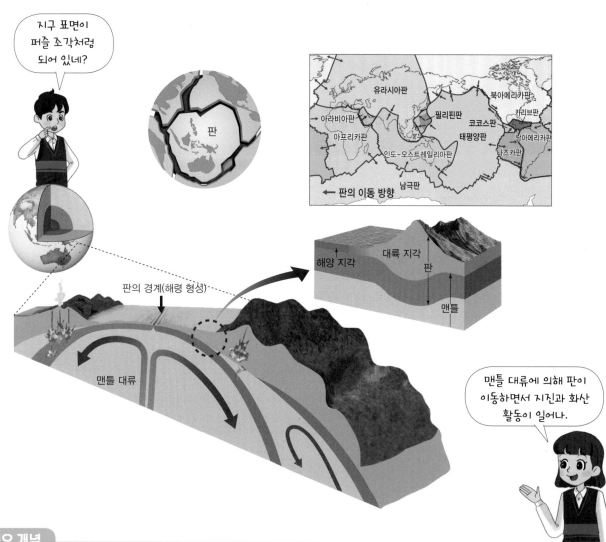

### 중요 개념

━ 우리나라는 유라시아판에 속한다.
● **판**   지각과 맨틀의 윗부분을 포함하는 단단한 암석층 ─ 판의 두께: 약 100 km
  • 대륙판: 대륙 지각을 포함하는 판 ┐→ 대륙판이 해양판보다 더 두껍다.
  • 해양판: 해양 지각을 포함하는 판 ┘
● **판의 분포와 경계**
  • 판의 경계는 대부분 대륙의 ❶( ㄱㅈㅈㄹ )나 해양의 중앙부에 나타난다.
  • 맨틀의 대류에 의해 판이 움직일 때 움직이는 방향과 속력이 서로 다르므로 판의 경계에서 판과 판이 서로 부딪치고 갈라지고 어긋나기도 한다.
  • 판의 경계에서는 지진이나 ❷( ㅎㅅ ) 활동과 같은 지각 변동이 활발하게 일어난다.

**Tip**

**판의 이동**
➡ 판은 맨틀을 따라 1년에 수 cm씩 천천히 이동하는데, 이때 이동 방향과 속도가 서로 다르다.

🔲 ❶ 가장자리 ❷ 화산

# 개념 원리 확인

판과 판이 갈라지는 경계, 부딪치는 경계, 어긋나는 경계에서 지진이나 화산 활동이 활발하게 일어나지.

## 1-1

다음 글의 빈칸에 알맞은 말을 쓰시오.

> 지구의 겉 부분은 여러 개의 판으로 이루어져 있는데, 이것은 지각과 맨틀의 상부를 포함한 단단한 ㉠(          )이다. 이 판들이 서로 다른 방향과 속도로 이동하면서 판과 판이 갈라지거나 부딪치거나 어긋나는 판의 ㉡(          )에서 여러 가지 지각 변동이 활발하게 일어난다.

## 1-2

판과 판의 경계에 대한 설명으로 옳은 것은 ○표, 옳지 않은 것은 ×표를 하시오.

(1) 해양판이 대륙판보다 두껍다. ( )

(2) 판의 경계에서 지각 변동이 활발하게 일어난다. ( )

(3) 판들의 이동 방향은 다르고 이동 속도는 모두 같다. ( )

(4) 지구의 표면은 10여 개의 크고 작은 판으로 이루어져 있다. ( )

'1주차 1일, 지권의 구조'에서 대륙 지각의 두께는 해양 지각보다 두껍다는 것을 배웠지. 마찬가지로 대륙판이 해양판보다 두껍다는 것을 알아두자.

## 1-3

그림은 판의 구조를 모형으로 나타낸 것이다. 이에 대한 설명으로 옳지 않은 것은?

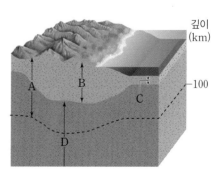

① A는 판이다.

② A가 이동하면서 대륙이 함께 이동한다.

③ B는 대륙 지각이다.

④ C를 포함하는 판은 B를 포함하는 판보다 두께가 얇다.

⑤ D의 대류 현상은 판의 이동과 관련이 없다.

**용어 풀이**

＊ 판(plate, 板 널빤지): 지각과 맨틀의 상부를 이루고 있는 암석층

주제 2 **지진대와 화산대**

전 세계에서 지진과 화산 활동이 활발한 지역을 연결해 보면 좁은 띠 모양으로 나타나는데, 이 지역을 각각 지진대, 화산대라고 한다.

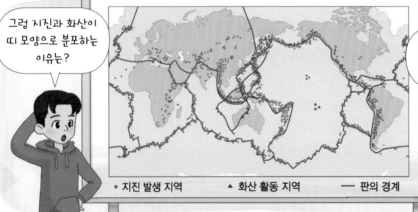

• 지진 발생 지역　　▲ 화산 활동 지역　　── 판의 경계

**중요 개념**

● **지진대와 화산대** 지진대와 화산대는 판의 ❶( ㄱ ㄱ )와 거의 일치한다.
　• 지진대: 지진이 활발하게 일어나는 지역
　• 화산대: 화산 활동이 활발하게 일어나는 지역
　　예 환태평양 지진대·화산대(불의 고리) – 전 세계 지진과 화산 활동의 70 % 이상이 발생
　• 화산대와 지진대의 분포: 특정 지역에 좁고 긴 띠 모양으로 분포함
● **지진의 세기**　└ 지진, 화산 활동 등의 지각 변동은 주로 판의 경계에서 발생하기 때문이다.

| 구분 | 규모 | 진도 |
|---|---|---|
| 기준 | 지진이 발생할 때 방출되는 에너지의 양 | 지진이 발생할 때 땅이 흔들린 정도나 피해 정도 |
| 특징 | • 지진 발생 지점으로부터의 거리 등에 관계 없이 일정하다.<br>• 숫자가 클수록 강한 지진이다. | 보통 지진 발생 지점에서 ❷( ㄱㄲㅇ ) 지역 일수록 진도가 크다. |

**Tip**

**화산과 지진**
➡ 화산 활동이 활발한 곳에서는 대체로 지진이 일어나지만, 지진이 발생하는 곳에서 반드시 화산 활동이 일어나는 것은 아니다.

답 ❶ 경계 ❷ 가까운

# 개념 원리 확인

## 2-1

지진과 화산 활동에 대한 설명으로 옳은 것은 ○표, 옳지 않은 것은 ×표를 하시오.

지진 규모는 지진이 발생한 지점에서 방출된 에너지의 양으로, 그 값이 클수록 강한 지진이야.

(1) 지진이 활발하게 일어나는 지역을 지진대라고 한다. ( )

(2) 화산 활동이 활발하게 일어나는 지역을 화산대라고 한다. ( )

(3) 지진대와 화산대는 판의 경계와 거의 일치한다. ( )

(4) 진도는 지진이 발생할 때 방출되는 에너지의 양을 나타낸다. ( )

(5) 규모는 지진이 일어났을 때 땅이 흔들린 정도나 피해 정도를 나타낸다. ( )

**2**주
**2**일

## 2-2

다음 글의 빈칸에 알맞은 말을 쓰시오.

> 전 세계에서 지진과 화산 활동이 가장 활발한 지역은 태평양의 가장자리인데, 이를 ㉠( ) 지진대·화산대라고 한다. 이 지역은 불의 고리라고도 하며 판의 ㉡( )와 거의 일치한다.

## 2-3

그림은 전 세계의 지진 발생 지역과 화산 활동 지역을 나타낸 것이다.

지진과 화산 활동은 특정한 지역에서 집중적으로 일어나며 판의 경계와 거의 일치함을 알아야 해.

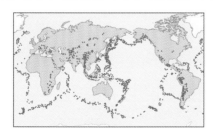

(가) 지진 발생 지역

(나) 화산 활동 지역

다음은 위 자료에 대한 해석이다. ( ) 안에서 알맞은 말을 고르시오.

> (가)와 (나)를 비교해 보면 지진 발생 지역과 화산 활동 지역이 거의 ( 일치함 / 같지 않음 )을 알 수 있다.

**대표 기출문제** 주제 1 판의 이동과 경계

## 1-1

그림은 우리나라 주변의 판의 경계를 나타낸 것이다.

이에 대한 설명으로 옳지 <u>않은</u> 것은?

① 일본은 판의 경계 부근에 위치한다.

② 우리나라가 속해 있는 판은 유라시아판이다.

③ 우리나라는 일본보다 지진에 의한 피해가 적다.

④ 지구의 겉 부분은 크고 작은 10여 개의 판으로 이루어져 있다.

⑤ 우리나라는 판의 경계 지역이 아니어서 지진으로부터 안전하므로 지진을 대비할 필요가 없다.

## 1-2

그림은 전 세계에 분포하는 크고 작은 판들과 지진 발생 지역, 화산 활동 지역을 나타낸 것이다. 빈칸에 알맞은 말을 쓰시오.

• 지진 발생 지역   ▲ 화산 활동 지역   — 판의 경계

> 지진과 화산 활동이 자주 일어나는 지역은 대부분 (          )
> 와 거의 일치한다.

## 1-3

그림은 판의 구조를 나타낸 것이다. 이에 대한 설명으로 옳지 <u>않은</u> 것은?

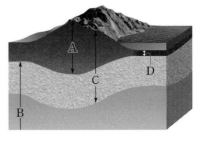

① A는 대륙 지각이다.

② B는 맨틀이다.

③ C는 판으로, 지각과 맨틀의 윗부분을 포함하는 단단한 암석층이다.

④ D는 해양 지각이다.

⑤ A를 포함하는 판을 해양판, D를 포함하는 판을 대륙판이라고 한다.

**문제 해결 Point**

| 가이드 | 화산 활동이나 지진 같은 지각 변동은 **판의 경계**에서 활발하게 일어난다는 사실을 알아야 한다. |
|---|---|
| 해결 Point | 지구의 표면은 10여 개 이상의 판으로 이루어져 있다. 우리나라는 유라시아판에 속해 있다. 일본은 유라시아판, 태평양판, 필리핀판이 만나는 경계에 인접해 있다. 화산 활동이나 지진 같은 지각 변동은 판의 경계에서 활발하게 일어나기 때문에 우리나라보다 판의 경계에 가까운 일본에서 지진이 더 많이 발생한다. |
| 오개념 주의 | 우리나라는 판의 경계에서 어느 정도 떨어진 위치에 있어서 상대적으로 일본에 비해 지진과 화산 활동이 활발하지 않다. 하지만 우리나라도 지진으로부터 안전하지는 않으므로 지진에 대비해야 한다. |

## 2-1

그림은 전 세계의 화산대와 지진대 및 판의 경계를 보고 세 친구가 나눈 대화를 나타낸 것이다.

이에 대해 옳지 <u>않게</u> 말한 사람을 쓰시오.

### 문제 해결 Point

| 가이드 | **화산대, 지진대, 판의 경계**는 거의 일치함을 그림을 통해 파악할 수 있어야 한다. |
|---|---|
| 해결 Point | 전 세계에서 화산이 자주 일어나는 화산대와 지진이 자주 발생하는 지진대는 판과 판이 서로 부딪치거나 갈라지거나 어긋나는 판의 경계와 거의 일치한다. 이는 지진과 화산 활동이 주로 판의 경계에서 발생함을 뜻한다. |
| 오개념 주의 | 그림에서 지진대와 화산대를 비교해 보면 지진의 분포가 화산의 분포보다 훨씬 많다. 지진은 판의 움직임 외에 다른 요인으로 일어나는 경우도 있다. 따라서 지진과 화산이 항상 함께 발생하지 않음을 알 수 있다. |

## 2-2

지진의 세기에 대한 설명으로 옳은 것을 보기 에서 모두 고른 것은?

보기
- ㄱ. 규모의 숫자가 작을수록 강한 지진이다.
- ㄴ. 진도의 숫자가 클수록 피해 정도가 크다.
- ㄷ. 지진이 발생한 지점에서 멀어질수록 규모가 작다.

① ㄱ　　　　　② ㄴ　　　　　③ ㄱ, ㄷ
④ ㄴ, ㄷ　　　　⑤ ㄱ, ㄴ, ㄷ

## 2-3

그림은 전 세계의 지진대와 화산대를 나타낸 것이다.

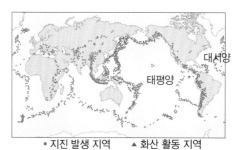

• 지진 발생 지역　▲ 화산 활동 지역

이에 대한 설명으로 옳은 것을 보기 에서 모두 고른 것은?

보기
- ㄱ. 지진대와 화산대의 분포는 거의 일치한다.
- ㄴ. 지진대와 화산대는 전 세계에 고르게 분포한다.
- ㄷ. 태평양 가장자리는 대서양 가장자리보다 지진과 화산 활동이 활발하다.

① ㄱ　　　　　② ㄴ　　　　　③ ㄱ, ㄷ
④ ㄴ, ㄷ　　　　⑤ ㄱ, ㄴ, ㄷ

## 2주 3일 중력

### 주제 1 중력의 크기와 방향

비행기에서 뛰어내린 스카이다이버는 지면을 향해 떨어지고, 나무에서 떨어지는 사과도 아래로 떨어진다. 이것은 물체에 지구가 당기는 힘이 작용하기 때문이다. 지구가 물체를 당기는 힘을 중력이라고 한다.

### 중요 개념

● **중력** ❶( ㅈㄱ )가 물체를 당기는 힘
● **중력의 크기** 무거운 물체일수록 크게 작용, 물체의 질량에 비례
  (1) 단위: N(뉴턴), 질량 1 kg에 작용하는 중력의 크기=9.8 N
  (2) 달의 중력은 지구 중력의 $\frac{1}{6}$배
● **중력의 방향** 지구 ❷( ㅈㅅ ) 방향, 연직 아래 방향
  • 연직 방향: 지표면에 수직인 방향, 항상 지구 중심을 가리킴

중력의 방향
지구 중심

**Tip**

**중력의 단위**
➡ N(뉴턴) 이외에 g중, kg중 단위를 사용하기도 한다. 1 kg중=9.8 N

답 ❶ 지구 ❷ 중심

# 개념 원리 확인

◦ 정답과 해설 **12**쪽

## 1-1

다음은 중력에 대한 설명이다. (　　) 안에서 알맞은 말을 고르시오.

(1) 지구가 물체를 끌어당기는 힘을 ( 중력 / 무게 )(이)라고 한다.

(2) 지구 중력이 작용하는 방향은 ( 지구 중심 / 물체 중심 ) 방향이다.

(3) 중력의 크기를 나타내는 단위는 ( kg / N )이다.

중력은 질량을 갖는 모든 물체에 작용해.

## 1-2

중력에 대한 설명으로 옳은 것을 보기 에서 모두 고른 것은?

보기

ㄱ. 중력의 크기는 물체의 질량에 비례한다.

ㄴ. 중력의 크기는 측정 장소에 따라 변하지 않는다.

ㄷ. 중력은 지표로부터 떨어져 있을 때에만 작용한다.

① ㄱ　　　　　　　　② ㄴ　　　　　　　　③ ㄷ

④ ㄱ, ㄴ　　　　　　⑤ ㄱ, ㄷ

중력은 항상 지구 중심 방향으로 작용해.

용어 풀이

＊**연직**(鉛 납, 直 곧다): 실에 납으로 된 추를 매달아 늘어뜨릴 때 실이 가리키는 방향, 중력 방향

## 1-3

그림과 같이 지표면 위에서 물체 (가)와 (나)를 가만히 놓을 때 (가), (나)가 움직이는 방향을 옳게 짝 지은 것은? (단, 공기 저항과 지구의 자전 효과는 무시한다.)

| | (가) | (나) | | (가) | (나) |
|---|---|---|---|---|---|
| ① | a | d | ② | b | e |
| ③ | b | f | ④ | c | e |
| ⑤ | c | f | | | |

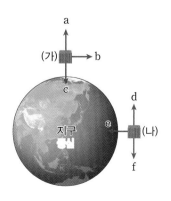

## 주제 2 중력에 의한 현상

폭포수가 아래로 떨어지고, 위로 던진 공이 계속 오르지 않고 다시 땅으로 떨어지는 현상은 지구 중심 방향으로 중력이 작용하기 때문이다. 이처럼 지구상의 모든 물체는 중력에 의해 아래로 떨어진다.

### 중요 개념

● **중력에 의한 현상**
- 스카이다이버가 ❶( ㅇㄹ )로 떨어진다.
- 고드름이 아래쪽으로 얼어붙는다.
- 스마트폰을 기울이면 *중력 센서가 감지하여 화면을 똑바로 보여준다.

● **중력이 사라지면**
- 모든 물체의 무게가 0이 되므로 물체의 ❷( ㅁㄱ )를 알 수 없다.
- 물총으로 물을 쏘면 아래로 떨어지지 않고 쏜 방향 그대로 나아간다.

**Tip**

**중력이 사라지면**
➡ 우주 정거장과 같은 무중력 상태에서는 모든 물체들의 무게가 0이다.

답 ❶ 아래 ❷ 무게

# 개념 원리 확인

○ 정답과 해설 **12쪽**

## 2-1

다음과 같은 현상을 일으키는 힘의 종류를 쓰시오.　　　　　　　　　　( 　 )

- 높은 곳에 괴어 있는 물이 아래로 흘러내린다.
- 두 발로 땅을 박차고 힘껏 뛰어올랐으나 곧바로 아래로 떨어진다.

중력은 지구가 물체를
당기는 힘이야.

## 2-2

**중력에 의해 나타나는 현상으로 보기 어려운 것은?**

① 가을에 낙엽이 아래로 떨어진다.

② 헬륨 풍선이 하늘 높이 올라간다.

③ 고드름이 아래쪽으로 얼어붙는다.

④ 지표로부터 높이 올라갈수록 공기가 희박하다.

⑤ 높이 던져 올린 농구공이 다시 아래로 떨어진다.

## 2-3

높이 뛰어 올랐지만
공중에 머물지 못하는
까닭은 중력이 작용하
기 때문이야.

그림과 같이 점프하여 높이 뛰어 올랐지만 금세 아래로 떨어진다. 이러한 현상을 일으키는 힘의 특징으로 옳은 것은? (정답 2개)

① 항상 당기는 힘으로 작용한다.

② 지구상에서만 작용하는 힘이다.

③ 항상 지구 중심 방향으로 작용한다.

④ 물체의 질량이 클수록 그 크기가 더 작아진다.

⑤ 측정 장소에 관계없이 항상 일정한 크기로 작용한다.

용어 풀이

＊**중력 센서**(重 무겁다, 力 힘,
sensor): 지구가 당기는 힘이
어느 방향으로 작용하는지 감지
하는 장치

## 1-1

중력에 대한 설명으로 옳지 <u>않은</u> 것은?

① 지구 중력이 작용하는 방향은 지구 중심 방향이다.

② 지구가 물체를 당기는 힘으로, 항상 당기는 힘만으로 작용한다.

③ 지구상의 모든 물체에 같은 크기의 중력이 작용한다.

④ 중력은 지구뿐만 아니라 달 등 다른 천체에서도 작용한다.

⑤ 다이빙대에서 뛰어내린 선수가 아래로 떨어지는 것은 중력이 작용하기 때문이다.

### 문제 해결 Point

**가이드** 중력은 지구가 물체를 당기는 힘이며, 당기는 힘만으로 작용한다. 또 중력의 크기(무게)는 물체의 질량에 따라 달라지는 것을 이해해야 한다.

**해결 Point** ① 지구 중력은 지구 중심 방향으로 작용한다.

② 중력은 지구가 물체를 당기는 힘이므로, 당기는 힘만으로 작용한다.

③ 중력의 크기는 물체의 무게이고 무게는 질량에 비례하여 커진다. 따라서 물체의 질량에 따라 작용하는 중력의 크기가 다르다.

④ 지구뿐만 아니라 다른 천체에서도 각각의 천체가 당기는 중력이 작용한다. 달에서의 중력은 지구에서의 $\frac{1}{6}$배이다.

⑤ 다이빙대에서 뛰어내린 선수도 지구의 중력에 의해서 아래로 떨어진다.

**오개념 주의** 중력을 지구가 당기는 힘이라고 정의하기 때문에 지구에서만 작용한다고 잘못 이해할 수 있다. 달에서의 중력은 지구에서 중력의 $\frac{1}{6}$배라는 사실로부터 다른 천체에서도 중력이 작용함을 알 수 있다.

## 1-2

축구공을 발로 힘껏 찼더니 그림과 같이 다시 땅으로 떨어졌다. 공이 올라갈 때의 위치 A와 내려올 때의 위치 B에서 공에 작용하는 힘의 종류를 쓰시오. (단, 모든 마찰은 무시한다.)

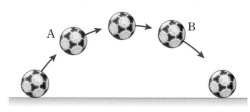

**Hint** 지구상의 모든 물체는 어떤 위치에 있더라도 항상 지구의 중력이 작용한다.

## 1-3

그림과 같이 지표면 근처에 물체 A, B, C가 있다. 각 물체에 작용하는 중력의 방향을 화살표로 표시하시오.

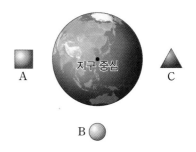

## 1-4

중력에 대한 설명으로 옳은 것을 보기 에서 모두 고른 것은?

### 보기

ㄱ. 물체에 작용하는 중력의 크기를 이용하면 물체의 무겁고 가벼운 정도를 비교할 수 있다.

ㄴ. 같은 물체에 작용하는 중력의 크기는 지구에서보다 달에서 더 크다.

ㄷ. 같은 장소에서 질량이 큰 물체가 질량이 작은 물체보다 더 큰 중력을 받는다.

① ㄱ      ② ㄴ      ③ ㄷ

④ ㄱ, ㄴ      ⑤ ㄱ, ㄷ

**Hint** 중력의 크기로 무게를 비교할 수 있다. 무게는 물체의 질량에 비례한다.

# 2-1

그림과 같이 높은 곳에서 낮은 곳으로 폭포수가 떨어지는 것은 어떤 힘이 작용하여 나타나는 현상이다.

이와 같은 종류의 힘이 작용하여 나타나는 현상으로 적절하지 **않은** 것은?

① 지구를 향해 운석이 떨어진다.

② 고드름이 아래로 길게 얼어붙는다.

③ 공을 위로 던져 올리면 다시 땅으로 떨어진다.

④ 용수철에 물체를 매달아 들면 용수철이 늘어난다.

⑤ 번지 점프 하는 사람이 가장 낮은 지점까지 떨어졌을 때 다시 높이 튀어 오른다.

---

**문제 해결 Point**

> 가이드

지구 중력이 작용하는 방향은 항상 지구 중심 방향이므로 물체를 떠받치는 힘이 작용하지 않는 한 지구상의 모든 물체는 지면 쪽으로 떨어진다는 사실을 알고 있어야 한다.

> 해결 Point

① 운석은 지구 중력을 받아 지구 쪽으로 떨어진다.

② 지구 중력으로 물이 떨어지면서 얼면 고드름을 만들기 때문에 고드름이 아래로 길어진다.

③ 위로 던져 올린 공이 다시 떨어지는 것은 지구의 중력이 작용하기 때문이다.

④ 물체에 작용하는 지구 중력이 용수철을 당기면 용수철의 길이가 늘어난다.

⑤ 번지 점프 하는 사람이 가장 낮은 지점까지 떨어졌을 때 다시 높이 튀어 오르는 것은 늘어난 줄이 원래대로 되돌아가려는 힘 때문이다.

---

# 2-2

아이스크림이 흘러내리고 놀이 기구들이 아래로 떨어지는 데 작용하는 힘의 특징으로 옳지 **않은** 것은?

① 당기는 힘으로만 작용한다.

② 항상 지구 중심 방향으로 작용한다.

③ 물체의 질량이 클수록 크게 작용한다.

④ 지표로부터 멀어질수록 그 크기가 작아진다.

⑤ 같은 물체의 경우 측정하는 장소에 관계없이 항상 크기가 같다.

**Hint** 지구로부터 멀수록 중력이 작아지는 현상은 높이 올라갈수록 공기가 희박해지는 현상을 통해 알 수 있다.

# 2-3

중력을 이용하는 예로 보기 **어려운** 것은?

① 다이빙                ② 번지 점프

③ 컴퓨터 자판           ④ 수력 발전

⑤ 스마트폰의 중력 센서

# 2주 4일 무게와 질량

주제 1 **무게와 질량의 비교**

빈 상자보다 물건이 가득 든 상자를 들어 올릴 때 무겁게 느껴지는 것은, 작용하는 중력의 크기가 다르기 때문이다. 물체에 작용하는 중력의 크기를 무게라고 한다. 또 물체가 가지는 고유한 양을 질량이라고 한다. 물체의 질량이 클수록 크다.

### 중요 개념

- **무게** 물체에 작용하는 ❶( ㅈㄹ )의 크기, 물체의 무거운 정도
- **질량** 측정 ❷( ㅈㅅ )에 따라 변하지 않는 물체가 가지는 고유한 양
- **무게와 질량의 비교** 무게는 ❸( ㅈㄹ )에 비례 (무게(N)=9.8×질량(kg))

| 구분 | 무게 | 질량 |
|------|------|------|
| 측정 도구 | 용수철저울 | 양팔저울, 윗접시 저울 |
| 단위 | N(뉴턴) | kg(킬로그램) |
| 측정 장소에 따른 크기 | 장소에 따라 변한다. | 변하지 않는다. |

└ 1 kg의 무게=9.8 N

**Tip**

N(뉴턴)
➡ 중력의 크기(무게)를 나타내는 단위로, 중력을 발견한 과학자 뉴턴의 이름을 딴 옴.

답 ❶ 중력 ❷ 장소 ❸ 질량

# 개념 원리 확인

## 1-1

질량에 대한 설명에는 '질량', 무게에 대한 설명에는 '무게'라고 쓰시오.

(1) 물체에 작용하는 중력의 크기이다. ( )

(2) 측정하는 장소가 바뀌어도 그 양이 변하지 않는다. ( )

(3) 용수철저울로 측정하며, 단위로 N(뉴턴)을 사용한다. ( )

(4) 윗접시 저울로 측정하며, 단위로 kg(킬로그램)을 사용한다. ( )

장소에 따라 변하지 않는 물체의 고유한 양을 질량이라고 해.

## 1-2

다음을 질량과 무게로 구분하고 서로 관계있는 것끼리 선으로 연결하시오.

| 정의 | 단위 | 측정 장소에 따라 |
|---|---|---|
| (1) ( ): 중력의 크기 • | • ① N • | • ㉠ 크기가 변하지 않는다. |
| (2) ( ): 물체의 고유한 양 • | • ② kg • | • ㉡ 크기가 변한다. |

질량은 윗접시 저울이나 양팔저울로 측정하며 저울이 수평을 이룰 때 추의 질량을 통해 알 수 있어.

## 1-3

그림은 두 학생이 여러 가지 물체의 질량을 측정하며 대화하는 모습이다.

질량을 측정하는 도구는 ㉠( ) 저울이야.

㉡( ) 접시에 측정하려는 물체를 올려야 해.

알아. ㉢( ) 접시에는 질량이 큰 추부터 올리고 작은 추로 수평을 조절해.

맞아. 물체의 질량은 ㉣( )의 질량을 모두 합하면 알 수 있어.

대화의 ㉠~㉣에 알맞은 말을 보기 에서 골라 쓰시오.

보기

| 왼쪽 | 오른쪽 | 추 | 윗접시 | 용수철 |
|---|---|---|---|---|

### 용어 풀이

* **무게**(weight): 질량이 있는 물체가 받는 중력의 크기, 중량이라고도 함
* **질량**(質 바탕, 量 헤아리다): 물질이 가지고 있는 고유한 양

## 2주 4일 무게와 질량

**주제 2** 지구와 달에서의 무게와 질량

지구에서 질량이 60 kg이고, 몸무게가 588 N인 사람이 달에 가서 측정하면
몸무게는 98 N으로 줄어든다. 그러나 몸의 크기, 즉 몸이 가지고 있는 고유한
양은 변하지 않으므로 질량은 그대로 60 kg이다.

### 중요 개념

● **물체의 무게와 질량의 관계**
- 지구에서 질량 1 kg의 무게는 9.8 N, 10 kg의 무게는 98 N, 30 kg의 무게는 294 N
- 무게는 물체의 ❶( ㅈㄹ )에 *비례하여 커짐

● **달에서 물체의 무게와 질량**
- 달에서 물체의 무게: 달의 중력은 지구 중력의 $\frac{1}{6}$배, 따라서 달에서 물체의 무게는 지구에
  서의 ❷( )배
- 달에서 물체의 질량: 질량은 물체를 이루는 고유한 양을 나타내므로 달에서 물체의 질량
  은 지구에서의 질량과 ❸( ㄱㄷ ).

**Tip**

**질량 1 kg 무게**
➡ 지구에서 질량 1 kg의
무게는 9.8 N이고, 달의 중
력은 지구 중력의 $\frac{1}{6}$배이므
로 달에서의 무게는 약
1.63 N이 된다.

답 ❶ 질량 ❷ $\frac{1}{6}$ ❸ 같다

### 2-1

다음은 달 표면에서의 현상을 나타낸 것이다. 빈칸에 알맞은 말을 [보기]에서 고르시오.

달 표면에 착륙한 우주인이 무거운 우주복을 입고도 껑충껑충 뛰어오를 수 있는 까닭은 달에서는 우주인의 ⊙(      )(이)가 지구에서의 ⓛ(      )배로 가벼워졌기 때문이다.

[보기]

질량      무게      6      $\frac{1}{6}$

무게는 물체의
질량에 비례해.

### 2-2

그림은 어떤 우주인의 지구에서의 무게와 질량을 측정한 결과이다.

(1) 이 우주인의 달에서의 무게를 구하는 식의 빈칸에 알맞은 숫자를 쓰시오.

달에서의 무게=⊙(      )×1176 N=ⓛ(      ) N

(2) 이 우주인의 달에서의 질량은 얼마인지 쓰시오. (      )

질량은 측정 장소에
따라 변하지 않아.

### 2-3

윗접시 저울의 왼쪽 접시에 장난감을 올려놓고 오른쪽 접시에 질량이 100 g인 추 6개를 올려놓았더니 수평을 이루었다. 이에 대한 설명으로 옳은 것은? (정답 2개)

① 장난감의 무게는 5.88 N이다.

② 장난감의 질량은 100 g이다.

③ 달에서 장난감의 질량은 600 g이다.

④ 이 윗접시 저울을 달에 가져가면 수평을 이루지 못하고 물체 쪽으로 기운다.

⑤ 이 윗접시 저울을 달에 가져가면 오른쪽 접시에 100 g인 추 1개를 올려놓으면 수평을 이룬다.

[용어 풀이]

＊비례(比 따르다, 例 규칙): 한쪽의 양이 증가한 만큼 그와 관련 있는 다른 쪽 양도 증가하는 관계, 예를 들어 물체의 질량이 증가한 만큼 무게가 커질 때 무게는 질량에 비례한다고 말함

**대표 기출문제**  **주제 1** 무게와 질량의 비교

## 1-1

어떤 물체의 무게와 질량을 설명한 내용으로 옳은 것을 보기 에서 모두 고른 것은?

보기

ㄱ. 물체의 질량이 클수록 무게가 크다.
ㄴ. 물체의 질량은 측정 장소에 따라 변하지 않는 고유한 양이다.
ㄷ. 무게는 물체에 작용하는 중력의 크기이므로 측정 장소에 따라 변하지 않는다.

① ㄱ          ② ㄴ          ③ ㄷ
④ ㄱ, ㄴ       ⑤ ㄱ, ㄴ, ㄷ

## 1-2

무게와 질량에 대해 설명한 것으로 옳은 것은?

① 물체에 작용하는 중력의 크기를 질량이라고 한다.
② 무게를 나타낼 때, 단위로 kg(킬로그램)을 사용한다.
③ 질량을 나타낼 때, 단위로 N(뉴턴)을 사용한다.
④ 윗접시 저울은 질량을 측정하는 도구이다.
⑤ 무게는 물체가 가지는 고유한 양이므로 장소와 관계없이 크기가 변하지 않는다.

## 1-3

무게에 대한 설명으로 옳지 않은 것은?

① 물체에 작용하는 중력의 크기이다.
② 측정 장소에 따라 변하지 않는다.
③ 단위로 N(뉴턴)을 사용한다.
④ 용수철저울이나 가정용 저울로 측정할 수 있다.
⑤ 지구에서 질량이 1 kg인 물체의 무게는 9.8 N이다.

**문제 해결 Point**

가이드   무게와 질량의 차이점을 알고 무게와 질량의 관계를 정확히 알아 두어야 한다.

해결 Point   ㄱ. 지구에서 질량이 1 kg인 물체에 작용하는 무게는 9.8 N이다. 따라서 질량이 1, 2, 3배 증가하면 무게도 9.8의 배수인 9.8, 19.6, 29.4로 증가한다. 즉 무게는 물체의 질량에 비례하여 커진다.
ㄴ. **질량**은 측정 장소에 관계없이 그 양이 변하지 않는다.
ㄷ. **무게**는 측정하는 장소에 따라 변한다. 예를 들어 달에서의 무게는 지구에서의 $\frac{1}{6}$배이다.

오개념 주의   질량은 물체가 가지는 고유한 양으로 변하지 않는다. 하지만 만약 그 물체를 반으로 쪼개어서 측정한다면 질량은 반으로 줄어든다.

## 1-4

무게는 물체에 작용하는 중력의 크기이고, 질량은 물체가 가지는 고유한 양이다. 어떤 물체의 무게와 질량의 관계를 나타낸 그래프로 옳은 것은?

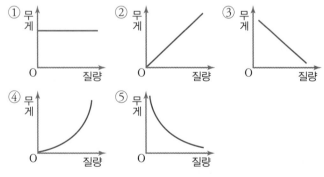

Hint  물체의 무게는 질량이 클수록 크다. 즉 무게는 질량에 비례한다.

대표 **기출문제** 주제2 지구와 달에서의 무게와 질량

## 2-1

지구에서 질량이 60 kg인 물체를 달에 가져가 질량과 무게를 측정하려고 한다. 측정 도구와 측정 결과를 옳게 짝 지은 것은?

| | 측정 도구 | | 측정 결과 | |
|---|---|---|---|---|
| | 질량 | 무게 | 질량 | 무게 |
| ① | 윗접시 저울 | 용수철저울 | 60 kg | 60 N |
| ② | 용수철저울 | 윗접시 저울 | 60 N | 60 kg |
| ③ | 윗접시 저울 | 용수철저울 | 60 kg | 588 N |
| ④ | 용수철저울 | 윗접시 저울 | 588 N | 60 kg |
| ⑤ | 윗접시 저울 | 용수철저울 | 60 kg | 98 N |

### 문제 해결 Point

**가이드** **무게**는 물체에 작용하는 중력의 크기로 용수철저울로 측정하고, **질량**은 측정 장소에 따라 변하지 않는 물체의 고유한 양으로 윗접시 저울이나 양팔저울로 측정하는 등 무게와 질량의 차이점을 꼭 알아 두도록 한다.

**해결 Point**
• 용수철저울은 당기는 힘에 의해 용수철이 늘어나면서 바늘이 눈금을 가리키도록 되어 있다. 윗접시 저울은 양쪽 접시에 물체와 추를 각각 올려놓고 수평을 이룰 때 추의 질량을 모두 합하여 물체의 질량을 측정한다.
• 무게는 물체의 질량에 비례하고 지구에서 질량 1 kg에 작용하는 힘은 9.8 N이므로 질량 60 kg인 물체의 무게는 60×9.8=588(N)이다. 이 물체를 달에 가서 무게를 측정하면 달의 중력이 지구 중력의 $\frac{1}{6}$배로 줄어들므로 588×$\frac{1}{6}$=98(N)이 된다.

**오개념 주의** 가정이나 식품업체에서 사용하는 접시가 올려있는 저울의 명칭은 가정용 저울로 무게를 측정한다.

## 2-2

무게에 대한 설명으로 옳은 것을 보기 에서 모두 고른 것은?

**보기**

ㄱ. 무게는 물체의 질량이 클수록 크다.

ㄴ. 달에서의 무게는 지구에서 무게의 $\frac{1}{6}$배이다.

ㄷ. 무중력 상태인 우주 정거장에서의 몸무게는 0으로 측정된다.

① ㄱ　　　　② ㄴ　　　　③ ㄷ

④ ㄴ, ㄷ　　　　⑤ ㄱ, ㄴ, ㄷ

**Hint** 무게는 중력의 크기이므로 중력이 없는 무중력 상태에서는 모든 물체의 무게가 0이다.

## 2-3

그림은 윗접시 저울에 어떤 물체 A와 질량이 1 kg인 추를 올려놓고 (가)는 지구에서, (나)는 달에서 측정하는 모습을 나타낸 것이다.

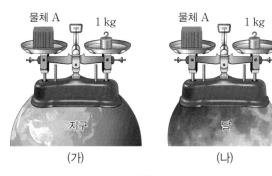

(가)　　　　　　(나)

이에 대한 설명으로 옳은 것을 보기 에서 모두 고른 것은?

**보기**

ㄱ. 지구에서 물체 A의 무게는 9.8 N이다.

ㄴ. 물체의 질량은 1 kg으로 변하지 않는다.

ㄷ. 측정 장소가 바뀌어도 물체의 무게가 변하지 않고 일정함을 알 수 있다.

① ㄱ　　　　② ㄴ　　　　③ ㄱ, ㄴ

④ ㄱ, ㄷ　　　　⑤ ㄱ, ㄴ, ㄷ

**Hint** 윗접시 저울은 질량을 측정하는 도구로, 지구나 달에서 물체 A의 질량은 1 kg의 추와 수평을 이루고 있다.

## 주제 1 탄성력의 크기와 방향

컴퓨터 자판에는 작은 용수철이 들어 있기 때문에 눌렀다가 떼면 항상 제자리로 되돌아온다. 용수철이나 장대와 같은 탄성체에 힘을 가하면 원래 모양으로 되돌아가려는 힘을 작용하는데, 이러한 힘을 탄성력이라고 한다.

### 중요 개념

- **탄성력** 물체를 누르거나 잡아당길 때 모양이 변한 탄성체가 ❶( ㅇㄹ )의 모양으로 되돌아가려는 힘
  (1) 방향: 작용한 힘의 방향과 ❷( ㅂㄷ ) 방향
  (2) 탄성력의 크기＝탄성체를 누르는 힘의 크기 또는 잡아당기는 힘의 크기, 즉 작용한 힘의 크기와 같음
- **탄성력의 이용** 용수철저울, 컴퓨터 자판, 악기, 운동 기구, 용수철이나 고무줄 등을 이용한 장난감 등

원래 길이

누르는 힘 → ← 누르는 힘

탄성력 ←　→ 탄성력

양쪽에서 탄성력의 방향이 서로 반대

**Tip**

**탄성력의 크기**
➡ 탄성체에 작용한 힘의 크기와 같고, 탄성체의 모양이 변하는 정도가 클수록 크다.

답 ❶ 원래 ❷ 반대

## 1-1

그림과 같이 한쪽 끝을 고정한 용수철 위에 탁구공을 올려놓고 손으로 눌러 용수철을 압축하였다. ( ) 안에서 알맞은 말을 고르시오.

> 손으로 눌렀을 때 탁구공에는 용수철의 ㉠( 중력 / 탄성력 )이 누르는 힘의 방향과 ㉡( 같은 / 반대 ) 방향인 ㉢( 위 / 아래 )쪽으로 작용한다.

용수철은 늘리면 줄어들려 하고, 압축하면 늘어나려고 해.

## 1-2

그림과 같이 용수철의 한쪽 끝을 고정하고 다른 쪽 끝을 화살표 방향으로 당기거나 밀 때, 용수철에 작용하는 탄성력의 방향을 각각 화살표로 표시하시오.

(1)

당기는 힘

(2)

미는 힘

(3)

당기는 힘

탄성력은 물체를 변형시켰을 때 원래 모양으로 되돌아 오려는 힘이야.

## 1-3

주변에서 볼 수 있는 여러 가지 물체 중 주로 탄성력을 이용하는 것을 보기 에서 모두 고른 것은?

> 보기
> ㄱ. 농구공          ㄴ. 컴퓨터 자판          ㄷ. 스케이트
> ㄹ. 나침반          ㅁ. 스테이플러          ㅂ. 미끄럼틀

① ㄱ, ㄴ, ㄷ          ② ㄱ, ㄴ, ㅁ          ③ ㄴ, ㄷ, ㄹ
④ ㄷ, ㄹ, ㅁ          ⑤ ㄹ, ㅁ, ㅂ

용어 풀이
＊**탄성**(彈 튀다, 性 성질): 물체에 외부 힘을 가하면 모양이 바뀌지만, 힘을 제거하면 원래대로 되돌아오는 성질

주제 2  **용수철을 이용한 물체의 무게 측정**

용수철에 작용한 힘이 2배, 3배, 4배로 증가하면 용수철이 늘어난 길이도 2배,
3배, 4배로 증가한다. 물체의 무게를 측정하는 용수철저울은 용수철이 늘어난
길이가 용수철에 매단 물체의 무게에 비례하는 원리를 이용해 만든다.

중요 개념

● **탄성력을 이용해 물체의 무게 측정하기**
(1) 원리: 용수철이 늘어난 길이는 용수철에 매단 추의 무게에 ❶( ㅂㄹ )
  (주의! 용수철이 늘어난 길이=늘어난 용수철의 전체 길이-용수철의 처음 길이)
(2) 물체의 ❷( ㅁㄱ )는 용수철이 늘어난 길이가 용수철에 매다는 물체의 무게에 비례하는
  성질을 이용해 측정함
● **무게를 측정하는 도구**  용수철저울, 가정용 저울, 체중계 등
● **탄성 한계**  용수철과 같은 탄성체에 너무 큰 힘이 작용하면 힘을 제거해도 원래 모양으로 되
  돌아가지 않는데 이처럼 원래 상태로 되돌아가지 못하는 한계를 탄성 한계라고 함

Tip

**용수철이 늘어난 길이**
➡ 용수철이 늘어난 길이
와 무게와의 비례식을 쓸
때 반드시 용수철의 전체
길이가 아닌 늘어난 길이
를 식에 사용함

답 ❶ 비례 ❷ 무게

# 개념 원리 확인

## 2-1

그림과 같이 용수철에 추의 개수를 늘려가면서 매달았더니 용수철이 점점 늘어났다. ( ) 안에서 알맞은 말을 고르시오.

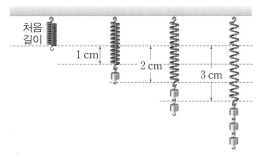

(1) 탄성력의 크기는 용수철에 매단 추의 ( 질량 / 무게 )(과)와 같다.

(2) 용수철이 늘어난 길이는 용수철에 매단 추의 ( 크기 / 개수 )에 비례한다.

(3) 용수철에 매단 추의 수를 2개, 3개, 4개로 늘리면 용수철의 ( 전체 길이 / 늘어난 길이 )도 2배, 3배, 4배로 증가한다.

탄성체가 되려면 일정한 힘이 작용할 때 늘어난 길이도 일정하게 커져야 해. 대표적인 예가 용수철이지.

## 2-2

그림과 같이 무게가 1 N인 추를 용수철에 매달았을 때, 매단 추의 개수와 용수철이 늘어난 길이는 표와 같았다. 추 3개를 매달았을 때 용수철이 늘어난 길이 (가)를 쓰시오. ( )

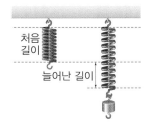

| 추의 개수(개) | 용수철이 늘어난 길이(cm) |
|---|---|
| 1 | 2 |
| 2 | 4 |
| 3 | (가) |
| 4 | 8 |

## 2-3

어떤 용수철에 추의 개수를 늘리면서 매달았더니 용수철이 늘어난 길이가 표와 같았다. 이 용수철에 어떤 물체를 매달았더니 21 cm 늘어났다면 이 물체의 무게는 몇 N인지 쓰시오. (단, 추 1개의 무게는 3 N이다.) ( )

용수철이 늘어난 길이가 작용한 힘에 비례하는 성질을 이용해 물체의 무게를 측정해.

| 매단 추의 수(개) | 1 | 2 | 3 | 4 |
|---|---|---|---|---|
| 용수철이 늘어난 길이(cm) | 3 | 6 | 9 | 12 |

**대표 기출문제** 주제 1 탄성력의 크기와 방향

## 1-1

그림과 같이 마찰이 없는 수평면에서 용수철의 한쪽 끝을 고정하고, 용수철저울을 연결한 후 잡아당겼더니 용수철저울의 눈금이 10 N을 가리켰다. 이때 용수철의 A 지점에 작용하는 탄성력의 크기와 방향을 옳게 짝 지은 것은?

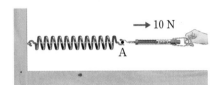

|     | 크기   | 방향   |
| --- | ------ | ------ |
| ①   | 5 N    | 왼쪽   |
| ②   | 5 N    | 오른쪽 |
| ③   | 5 N    | 아래쪽 |
| ④   | 10 N   | 왼쪽   |
| ⑤   | 10 N   | 오른쪽 |

### 문제 해결 Point

**가이드** 　**탄성력**은 외부에서 작용한 힘에 대항하여 원래 모양으로 되돌아가려는 힘이라는 것을 기억해 두어야 한다.

**해결 Point** 　용수철과 같은 탄성체에 힘이 작용하여 길이가 늘어날 때 원래 모양으로 되돌아가려는 성질 때문에 발생하는 탄성력의 크기는 작용한 힘의 크기와 같고, 방향은 작용한 힘의 방향과 반대이다. 따라서 용수철에 오른쪽으로 10 N의 힘이 작용하여 오른쪽으로 길이가 늘어나므로 용수철이 작용하는 탄성력의 크기는 10 N이고 방향은 왼쪽이다.

**오개념 주의** 　탄성력은 탄성체가 원래 모양으로 되돌아가려는 힘이므로 용수철의 양 끝에서의 탄성력 방향은 서로 반대이다. 현재 A 위치와 벽 쪽에서의 탄성력 방향은 서로 반대이다.

## 1-2

탄성력에 대한 설명으로 옳지 <u>않은</u> 것은?

① 탄성력의 크기는 한계가 있다.

② 탄성력은 탄성체의 변형 정도가 클수록 커진다.

③ 변형된 물체가 원래 모양으로 되돌아가려는 힘이다.

④ 탄성력의 크기는 탄성체에 작용한 힘의 크기와 같다.

⑤ 탄성력은 탄성체에 작용한 힘의 방향과 같은 방향으로 작용한다.

**Hint** 탄성력에는 탄성체에 힘을 가했다가 가한 힘을 제거해도 원래 모양으로 되돌아가지 못하는 탄성 한계가 있다.

## 1-3

주변에서 볼 수 있는 탄성력을 이용한 예에 해당하지 <u>않는</u> 것은?

**대표 기출문제** 주제 2 용수철을 이용한 물체의 무게 측정하기

## 2-1

그림은 용수철에 인형을 매단 모습을 나타낸 것이다. 인형에 작용하는 힘에 대한 설명으로 옳지 <u>않은</u> 것은? (단, 이 용수철은 1 N의 물체를 매달면 2 cm 늘어난다.)

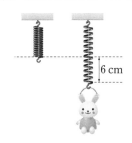

6 cm

① 인형의 무게는 3 N이다.

② 용수철이 작용하는 탄성력의 크기는 3 N이다.

③ 인형에 작용하는 중력과 탄성력의 방향은 같다.

④ 인형에 작용하는 중력과 탄성력의 크기는 같다.

⑤ 같은 실험을 달에서 하면 인형에 작용하는 탄성력의 크기가 작아진다.

### 문제 해결 Point

**가이드** 물체의 무게를 측정하는 원리는 '용수철이 늘어난 길이는 작용한 힘에 비례한다.'란 사실을 꼭 기억해 두어야 한다.

**해결 Point** ① 용수철이 늘어난 길이는 용수철을 당기는 힘의 크기에 비례한다. 1 N에 2 cm 늘어나므로 6 cm 늘어나게 하는 인형의 무게는 3 N이다.

② 탄성력은 작용한 힘과 크기가 같으므로 인형의 무게와 같은 3 N이다.

③ 중력은 아래쪽, 탄성력은 위쪽으로 작용하므로 중력과 탄성력의 방향은 서로 반대이다.

④ 탄성력은 외부에서 작용한 힘과 크기가 같으므로 인형에 작용하는 중력과 크기가 같다.

⑤ 달의 중력은 지구 중력의 $\frac{1}{6}$배이므로 달에서 인형에 작용하는 중력의 크기는 작아진다.

**오개념 주의** 탄성력은 반드시 외부의 힘에 의해 나타나는 힘이다. 인형에 작용하는 중력이 용수철을 당기기 때문에 용수철이 늘어났으며 이때 용수철이 원래 모양으로 되돌아가려는 방향으로 탄성력을 작용한다.

## 2-2

그림은 용수철에 무게가 2 N인 추를 1개, 2개, 3개로 늘리면서 매달 때 추의 무게와 용수철이 늘어난 길이의 관계를 나타낸 것이다.

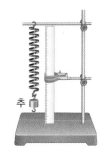

이에 대한 설명으로 옳지 <u>않은</u> 것은?

① 용수철이 늘어난 길이는 추의 개수에 비례한다.

② 추에 작용하는 용수철의 탄성력은 위쪽으로 작용한다.

③ 용수철을 늘어나게 하는 힘은 추에 작용하는 탄성력이다.

④ 용수철이 늘어난 길이가 12 cm이면 매단 추의 수는 4개이다.

⑤ 추의 무게와 용수철이 늘어난 길이와의 관계를 이용하면 물체의 무게를 측정할 수 있다.

## 2-3

처음 길이가 10 cm인 용수철에 무게가 10 N인 추를 매달았더니 용수철의 전체 길이가 20 cm가 되었다. 이 용수철에 어떤 가방을 매달았더니 용수철의 전체 길이가 30 cm가 되었다면 이 가방의 무게는?

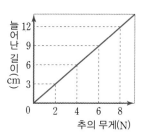

① 10 N      ② 20 N      ③ 30 N

④ 40 N      ⑤ 50 N

**Hint** 매단 물체의 무게와 비례하는 것은 용수철이 늘어난 길이이므로 늘어난 길이를 구해서 비례식을 세운다.

**01** 대륙 이동설 ▶ p.54

그림은 독일의 과학자인 베게너가 주장한 대륙 이동설을 나타낸 것이다. 대륙이 분리되기 전에 하나였던 대륙 A를 무엇이라고 하는지 쓰시오.

**02** 대륙 이동설의 증거 ▶ p.56

베게너가 제시한 대륙 이동설의 증거에 해당하는 것을 보기 에서 모두 고른 것은?

보기
ㄱ. 화석의 분포  ㄴ. 빙하의 흔적
ㄷ. 해안선 모양  ㄹ. 지진파의 속도 변화

① ㄱ, ㄴ  ② ㄴ, ㄷ  ③ ㄷ, ㄹ
④ ㄱ, ㄴ, ㄷ  ⑤ ㄴ, ㄷ, ㄹ

**03** 지진과 화산 ▶ p.62

지진과 화산 활동에 대한 설명으로 옳은 것은?

① 지진의 세기는 규모와 진도로 나타낸다.
② 전 세계 어느 지역에서나 고르게 발생한다.
③ 화산 활동이 자주 일어나는 지역을 지진대라고 한다.
④ 지진 활동이 자주 일어나는 지역을 화산대라고 한다.
⑤ 지진대와 화산대는 판의 경계와 아무 관련이 없다.

**04** 판의 이동과 경계 ▶ p.62

그림은 지진과 화산 활동이 활발하게 일어나는 지역의 분포를 보고 두 친구가 나눈 대화를 나타낸 것이다. 옳게 말한 사람을 쓰시오.

• 지진 발생 지역  ▲ 화산 활동 지역  ― 판의 경계

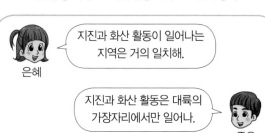

**05** 중력의 크기와 방향 ▶ p.66, 68

어떤 힘의 작용에 대한 설명이다. 빈칸에 알맞은 말은?

높이 던져 올린 공은 다시 아래로 떨어진다. 공을 아래로 떨어지게 하는 힘은 (        )이다.

① 중력  ② 탄성력  ③ 마찰력
④ 부력  ⑤ 자기력

**06** 무게와 질량 ▶ p.72, 74

무게와 질량에 대한 설명으로 옳은 것은?

① 질량은 중력의 크기이다.
② 무게의 단위는 kg을 사용한다.
③ 질량은 용수철저울로 측정한다.
④ 지구에서 같은 물체의 무게와 질량은 값이 서로 같다.
⑤ 같은 물체를 지구에서 측정한 질량과 달에서 측정한 질량이 서로 같다.

중력과 탄성력 ▶ p. 68, 78

**07** 밑줄 친 물체에 작용하는 힘이 나머지 넷과 다른 하나는?

① 폭포수가 아래로 떨 어진다.

② 기타의 줄을 퉁겨 연 주를 한다.

③ 높이뛰기를 할 때 장 대를 사용한다.

④ 용수철이 충격을 흡 수한다.

⑤ 컴퓨터 자판을 눌렀다가 떼면 자판이 다시 올라 온다.

중력과 탄성력 ▶ p. 68, 78

**09** 유미는 여러 가지 힘에 관한 과제를 두 주제 (A), (B)로 정 리하여 다음과 같이 나타내었다.

주제: ( A )

ㄱ. 비가 내린다.

ㄴ. 낙엽이 떨어진다.

ㄷ. 물이 높은 곳에서 낮은 곳으로 흐른다.

주제: ( B )

ㄱ. 머리끈    ㄴ. 빨래집게    ㄷ. 컴퓨터 자판

(A), (B)에 들어갈 주제를 옳게 짝 지은 것은?

| | (A) | (B) |
|---|---|---|
| ① | 중력에 의한 현상 | 무게를 이용하는 예 |
| ② | 무게에 의한 현상 | 중력을 이용하는 예 |
| ③ | 중력에 의한 현상 | 무게를 이용하는 예 |
| ④ | 중력에 의한 현상 | 탄성력을 이용하는 예 |
| ⑤ | 탄성력에 의한 현상 | 중력을 이용하는 예 |

용수철을 이용한 무게 측정 ▶ p. 80

**08** 그림은 용수철에 추를 매달았을 때 용수철이 늘어난 길이 를 추의 무게에 따라 나타낸 것이다.

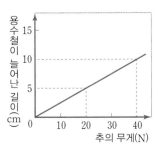

이 용수철에 어떤 필통을 매달았더니 용수철이 8 cm만큼 늘어났다면, 이 필통의 무게는?

① 8 N    ② 10 N    ③ 20 N

④ 30 N    ⑤ 32 N

달에서의 무게와 질량 ▶ p. 74

**10** 지구에서 질량이 1 kg인 물체에 작용하는 중력의 크기는 9.8 N이고, 달에서 중력의 크기는 지구에서의 $\frac{1}{6}$배이다.

(1) 지구에서 질량이 6 kg인 물체를 달에 가져갔을 때, 질량과 무게를 각각 구하시오.

(2) 지구에서 무게가 9.8 N인 물체 A와 달에서 무게 가 9.8 N인 물체 B가 있다. A와 B중 질량이 더 큰 물체를 쓰시오.

✏️ 2주에 배운 개념을 그림으로 저장

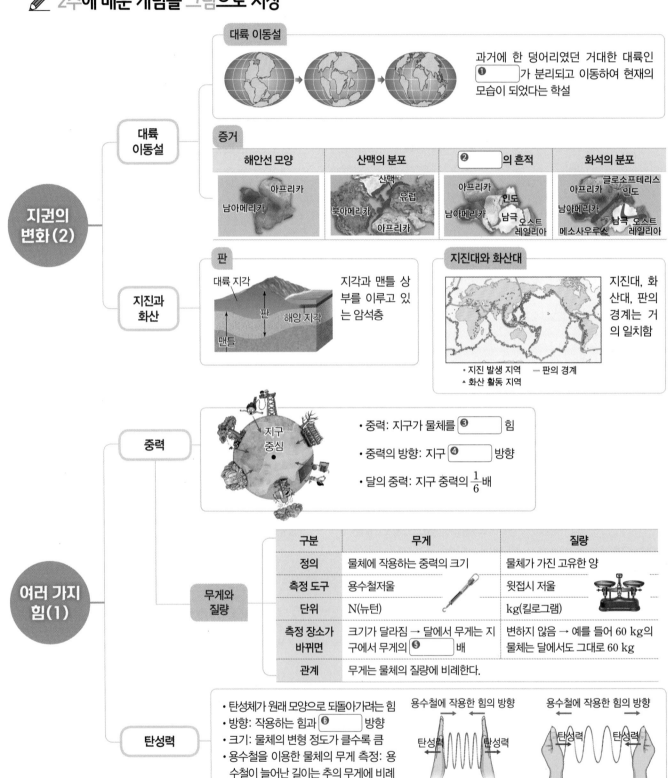

**대륙 이동설**

과거에 한 덩어리였던 거대한 대륙인 ❶[　　　]가 분리되고 이동하여 현재의 모습이 되었다는 학설

**증거**

| 해안선 모양 | 산맥의 분포 | ❷[　　　]의 흔적 | 화석의 분포 |
|---|---|---|---|
| 아프리카 / 남아메리카 | 산맥 / 유럽 / 북아메리카 / 아프리카 | 아프리카 / 인도 / 남아메리카 / 남극 / 오스트레일리아 | 글로소프테리스 / 아프리카 / 인도 / 남아메리카 / 남극 오스트 / 메소사우루스 / 레일리아 |

**판**

대륙 지각 / 판 / 해양 지각 / 맨틀

지각과 맨틀 상부를 이루고 있는 암석층

**지진대와 화산대**

지진대, 화산대, 판의 경계는 거의 일치함

· 지진 발생 지역 — 판의 경계
▲ 화산 활동 지역

**중력**

지구 중심

· 중력: 지구가 물체를 ❸[　　　] 힘
· 중력의 방향: 지구 ❹[　　　] 방향
· 달의 중력: 지구 중력의 $\frac{1}{6}$배

| 구분 | 무게 | 질량 |
|---|---|---|
| 정의 | 물체에 작용하는 중력의 크기 | 물체가 가진 고유한 양 |
| 측정 도구 | 용수철저울 | 윗접시 저울 |
| 단위 | N(뉴턴) | kg(킬로그램) |
| 측정 장소가 바뀌면 | 크기가 달라짐 → 달에서 무게는 지구에서 무게의 ❺[　　　]배 | 변하지 않음 → 예를 들어 60 kg의 물체는 달에서도 그대로 60 kg |
| 관계 | 무게는 물체의 질량에 비례한다. | |

**탄성력**

· 탄성체가 원래 모양으로 되돌아가려는 힘
· 방향: 작용하는 힘과 ❻[　　　] 방향
· 크기: 물체의 변형 정도가 클수록 큼
· 용수철을 이용한 물체의 무게 측정: 용수철이 늘어난 길이는 추의 무게에 비례

용수철에 작용한 힘의 방향
탄성력 / 탄성력

용수철에 작용한 힘의 방향
탄성력 / 탄성력

**지권의 변화(2)** → 대륙 이동설, 지진과 화산

**여러 가지 힘(1)** → 중력, 무게와 질량, 탄성력

답 ❶ 판게아 ❷ 빙하 ❸ 당기는 ❹ 중심 ❺ $\frac{1}{6}$ ❻ 반대

# ✎ 재미있는 개념 완성 퀴즈

● 과학 용어를 설명한 아래의 카드를 보고, 이에 해당하는 용어를 글자판에서 찾아 색칠하시오.(단, 용어는 가로, 세로, 대각선 방향으로 찾을 수 있다.)

| 화 | 산 | 대 | 판 | 게 | 중 | 심 |
|---|---|---|---|---|---|---|
| 양 | 질 | 용 | 륙 | 무 | 아 | 층 |
| 수 | 량 | 중 | 수 | 이 | 게 | 지 |
| 탄 | 성 | 력 | 화 | 철 | 동 | 동 |
| 성 | 지 | 진 | 대 | 산 | 저 | 설 |
| 체 | 지 | 방 | 양 | 팔 | 저 | 울 |

**❶ 지구가 물체를 당기는 힘**

나뭇잎도 떨어지고 사과도 떨어지고…

**❷ 과거 한 덩어리였던 대륙이 이동하여 현재의 대륙 분포가 되었다고 베게너가 주장한 학설**

대륙이 이동한 증거들을 발견했습니다.

**❸ 물체의 고유한 양으로, 측정 장소에 따라 변하지 않는 양**

지구에서와 똑같아.

**❹ 화산 활동이 활발하게 일어나는 지역**

● 화산 활동 지역

**❺ 용수철을 잡아당기거나 압축할 때 원래 모습으로 되돌아가려는 힘**

띠용!

**❻ 용수철이 늘어난 길이는 당기는 힘에 비례하는 원리를 이용하여 무게를 측정하는 장치**

코끼리야! 너도 매달려 봐.

아냐. 내가 매달리면 망가질 거야.

답 ❶ 중력 ❷ 대륙 이동설 ❸ 질량 ❹ 화산대 ❺ 탄성력 ❻ 용수철저울

과학의 다양한 유형 문제를 해결하는 방법을 연습하면서 사고력을 기르자.

**1** 다음은 왼쪽의 빙하의 흔적과 이동 방향을 나타낸 그림을 토대로 과거에 대륙이 한 덩어리였다고 추론할 수 있는 근거를 나타낸 것이다. 빈칸에 알맞은 말을 쓰시오.

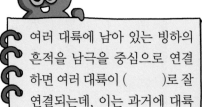

여러 대륙에 남아 있는 빙하의 흔적을 남극을 중심으로 연결하면 여러 대륙이 (          )로 잘 연결되는데, 이는 과거에 대륙이 한 덩어리였다는 증거이다.

● 문제 해결 **Tip**

과거에 모든 대륙은 한 덩어리였다가 분리되고 이동하였기 때문에 빙하의 흔적이 현재와 같이 나타나게 된 거야.

**2** 그림은 베게너가 대륙 이동에 대해 조사한 내용을 나타낸 것이다.

● 문제 해결 **Tip**

대륙 이동설은 과거에 한 덩어리였던 거대한 대륙(판게아)이 분리되어 현재의 모습이 되었다는 학설로, 1915년에 베게너가 발표했어.

(1) 위의 대화에서 빈칸에 들어갈 이론을 쓰시오.

(2) (1)의 이론이 발표 당시에 인정받지 못한 까닭을 서술하시오.

**3** 그림은 전 세계의 지진 발생 지역과 화산 활동 지역의 분포를 나타낸 것이다.

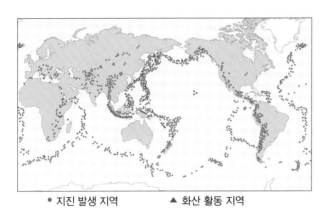

• 지진 발생 지역    ▲ 화산 활동 지역

위의 그림을 토대로 지진 발생 지역과 화산 활동 지역이 거의 일치하는 까닭을 다음 단어를 포함하여 서술하시오.

| 지진 | 화산 활동 | 지각 변동 | 판의 경계 |

문제 해결 **Tip**
판의 경계에서는 지진과 화산 활동 등의 지각 변동이 활발하게 일어나.

**4** 그림은 우리나라 주변의 판, 지진 및 화산 활동 발생 지역을 나타낸 것이다. 우리나라가 일본에 비해 지진이 적게 발생하는 까닭에 대해 옳게 말한 사람을 쓰시오.

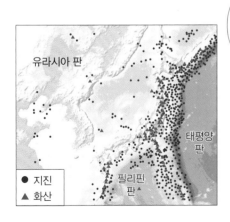

일본은 판의 경계에 가까이 위치하지만 우리나라는 판의 경계에서 조금 떨어져 있기 때문이야.

은송

우리나라는 판의 경계에 위치하고 일본은 판의 경계에서 먼 곳에 위치하기 때문이야.

강일

문제 해결 **Tip**
일본은 유라시아판, 필리핀판, 태평양판이 만나는 판의 경계에 가까이 위치해.

**5** 지구와 달에서 몽몽이의 무게와 질량에 대해 (　　) 안에서 알맞은 말을 고르시오.

● 문제 해결 **Tip**

무게는 N(뉴턴), 질량은 kg(킬로그램)으로 나타내. 지구에서 몸무게가 30 N인 몽몽이가 달에서는 5 N으로 줄었지만 질량은 그대로 30 kg이야.

(1) 지구에서 몽몽이의 무게는 (3 kg / 30 N)이다.
(2) 달에서 몽몽이의 질량은 ㉠(3 kg / 30 kg)이고 무게는 ㉡(5 N / 30 N)이다.
(3) 측정 장소가 바뀌어도 변하지 않는 것은 몽몽이의 (무게 / 질량)이다.

**6** 그림 (가), (나)는 일상생활에서 작용하는 탄성력에 대한 예를 나타낸 것이다.

● 문제 해결 **Tip**

고무공이나 용수철에 힘을 가했을 때 고무공과 용수철이 원래 모양으로 되돌아가려는 힘을 작용해.

(가) 고무공을 약하게 누를 때보다 세게 눌렀더니 손에 가해지는 힘이 더 크게 느껴졌다.
(나) 익스팬더를 더 늘리려면 더 큰 힘을 주어야 한다.

유미는 (가), (나)를 통해 알 수 있는 탄성력의 특징을 다음과 같이 정리하였다. 빈칸에 알맞은 말을 쓰시오.

• 탄성력은 탄성체가 ㉠(　　　　　) 모양으로 되돌아가려는 방향으로 작용한다.
• 탄성력의 크기는 탄성체의 모양이 변형된 정도가 클수록 ㉡(　　　　　).

**7** 같은 용수철 2개에 질량이 **1 kg**인 물체를 매달고 하나는 (가)와 같이 **10 N**의 힘으로 밀고, 다른 하나는 (나)와 같이 천장에 고정하였다. 이때 탄성력에 대해 옳게 말하고 있는 사람을 모두 고르시오.(단, 물체와 바닥 사이의 마찰은 무시한다.)

◀── 문제 해결 Tip

(가)에서 용수철에 작용하는 힘의 방향은 왼쪽, 용수철에 작용하는 탄성력의 방향은 오른쪽이고, 탄성력의 크기는 작용한 힘의 크기와 같아.
(나)에서 용수철에 작용하는 힘의 방향은 아래쪽, 용수철에 작용하는 탄성력의 방향은 위쪽이고 탄성력의 크기는 물체의 무게와 같아.

**8** 용수철을 이용해 물체 무게를 측정하는 원리를 알아보는 실험을 하였다.

| 실험 과정 |

(가) 용수철을 매달고 용수철 끝과 자의 0점이 일치하도록 한다.
(나) 100 g짜리 추 1개를 용수철에 매달고, 용수철이 늘어난 길이를 측정한다.
(다) 추의 개수를 늘려가면서 용수철이 늘어난 길이를 측정한다.

| 실험 결과 |

| 100 g인 추의 개수(개) | 1 | 2 | 3 | 4 |
|---|---|---|---|---|
| 용수철이 늘어난 길이(cm) | 2 | 4 | 6 | 8 |

◀── 문제 해결 Tip

실험 결과를 보면 용수철에 매다는 추의 수가 늘어날수록 용수철이 늘어난 길이가 일정하게 증가함을 알아야 해.

(1) 준우는 실험 결과를 이용해 무게를 측정하는 원리를 두 가지로 정리하였다. (  ) 안에서 알맞은 말을 고르시오.

1. 용수철을 당기는 힘은 ( 용수철의 무게 / 추의 무게 )와 같다.
2. 용수철이 늘어난 길이는 ( 용수철을 당기는 힘 / 추의 크기 )에 비례한다.

(2) 어떤 물체 A를 이 용수철에 매달았더니 용수철이 늘어난 길이가 8 cm였다. 물체 A의 무게를 구하시오. (단, 질량 100 g에 작용하는 중력의 크기는 0.1 N이다.)

# 3주에는 무엇을 공부할까? ❶

오빠, 누가 보면 축구광으로 오해할 듯. 비슷한 축구화가 도대체 몇 켤레야!!

앗, 손대지마. 다 같은 운동화가 아냐. 밑바닥을 보면 그 차이를 바로 알게 되지.

어머나! 그때 눈길에서 미끄러진 건 완전히 신발 탓이네!

미끌

눈길엔 아이젠을 덧신어야 안전해.

와 아

풍덩

헉!~ 물이 넘치잖아.

아들! 이 수박 좀 건너편으로 옮겨 줄래?

네. 물에서 옮기는 건 일도 아니죠!

앵? 물속에서는 무척 가볍네!

여기에 여러 종류의 새들이 있어. 주변에는 사자와 곰 등 다른 동물들도 많아.

그럼 동물원은 생물 다양성이 높다고 말할 수 있겠네?

동물원은 인위적으로 동물을 모아 사육하는 곳이야. 생물 다양성이 높다고 말할 수 없어.

아, 그렇구나.

**배울 내용**

| 1일 | 마찰력 | 4일 | 환경에 따라 다양한 생물 |
|---|---|---|---|
| 2일 | 부력 | 5일 | 생물을 분류하는 방법과 목적 |
| 3일 | 생명의 풍요로움, 생물 다양성 | | |

# 3주에는 무엇을 공부할까? ❷

○ 마찰력과 부력

**Quiz 1**
하늘 높이 올라가는 기구에는 중력과 (같은 / 반대) 방향의 힘이 작용한다.

우와~ 기구들이 점점 하늘 높이 올라가고 있어요.

물이 배를 떠받치고 있기 때문에 가라앉지 않아요.

**Quiz 2**
도로에서 미끄럼 방지 포장을 하는 도로는 (오르막길 / 내리막길)이다.

아빠! 왜 내리막길엔 가로로 일정하게 선이 그려져 있어요?

**Quiz 3**
배가 물 위에 떠 있는 이유는 물이 배를 물 (위 / 아래)로 밀어 올리기 때문이다.

**Quiz 4**
고속도로에서 자동차가 미끄러지기 쉬운 때는 (비올 때 / 추울 때)이다.

답 1. 반대 2. 내리막길 3. 위 4. 비올 때

**생물 다양성**

빛 공기 매 나비 거미 뱀 수달 토끼 나무 이끼 버섯 쥐 꽃 지렁이 개구리

**Quiz 5**
빛이나 공기는 생태계에 (포함된다 / 포함되지 않는다 ).

**Quiz 6**
생태계에서 바위의 이끼는 ( 생물 요소 / 비생물 요소 )이다.

**Quiz 7**
선인장의 뾰족한 가시와 굵은 줄기는 건조한 환경에서 체내의 ( 물 / 열 )을 빼앗기지 않기 위해서이다.

**환경과 생물 다양성**

**Quiz 8**
사막여우의 큰 귀는 체내의 열을 ( 방출 / 흡수 )하는 데 도움이 된다.

답 5. 포함된다 6. 생물 요소 7. 물 8. 방출

### 주제 **1** 마찰력의 방향과 크기

운동장에서 굴러가던 공이 스스로 멈춘다고 생각할 수 있지만 실제는 운동을 방해하는 힘이 작용하여 멈추는 것이다. 물체와의 접촉면에서 운동을 방해하는 힘을 마찰력이라고 하며, 마찰력은 물체의 운동과 반대 방향으로 작용한다.

### 중요 개념

- **마찰력** 두 물체의 접촉면에서 물체의 운동을 ❶( ㅂㅎ )하는 힘
- **마찰력의 방향** 물체에 작용한 힘과 반대 방향 또는 물체가 운동하거나 운동하려는 방향과 ❷( ㅂㄷ ) 방향
- **마찰력의 크기에 영향을 미치는 요소** 물체의 무게, 접촉면의 거칠기
- **마찰력의 크기** 물체의 무게가 무거울수록, 접촉면이 거칠수록 크다.

마찰력

**Tip**

**빗면에서의 마찰력**
➡ 빗면 위에 놓인 물체에 작용하는 마찰력은 내려가려는 것을 방해하는 방향인 빗면 위쪽으로 작용한다.

답 ❶ 방해 ❷ 반대

### 1-1

마찰력에 대한 설명이다. 빈칸에 알맞은 말을 각각 쓰시오.

(1) 두 물체의 접촉면에서 작용하는 힘으로, 물체의 운동을 방해하는 힘은 (          )이다.

(2) 물체에 힘이 작용하지만 움직이지 않는 까닭은, 물체에 작용한 힘과 (          ) 방향으로 작용하는 마찰력의 크기가 서로 같기 때문이다.

(3) 물체가 운동하고 있을 때 물체의 (          ) 방향과 반대 방향으로 마찰력이 작용한다.

### 1-2

마찰력은 운동 방향과 반대 방향으로 작용해.

그림과 같이 수평면과 빗면에서 물체가 각각 운동하고 있다. 각 물체에 작용하는 마찰력의 방향을 화살표로 표시하시오.

(1)

운동 방향

(2)

운동 방향

### 1-3

그림은 실생활에서 생수병을 맨손으로 여는 모습으로, 생수병 뚜껑에는 촘촘하게 홈이 파여 있어 매끈한 뚜껑보다 쉽게 열린다.

마찰력의 크기는 접촉면이 거칠수록 커져.

(1) 이와 관련하여 마찰력의 크기에 변화를 주는 요인에 대해 다음과 같이 정리하였다. 직접 연관되는 것끼리 선으로 연결하시오.

① 매끈한 접촉면      •          • ㉠ 거칠기가 작다 •          • ⓐ 마찰력이 크다

② 홈이 파인 접촉면 •          • ㉡ 거칠기가 크다 •          • ⓑ 마찰력이 작다

(2) 이와 비슷한 상황을 실생활에서 찾아 옳게 제시하고 있는 학생을 쓰시오.          (          )

깨지기 쉬운 물건은 에어캡 비닐로 감싸서 포장해요.

현우

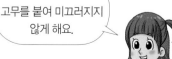
양말 밑바닥에 고무를 붙여 미끄러지지 않게 해요.

수현

주제 2  **마찰력의 이용**

겨울철 눈 오는 날이면 건물 계단이나 현관에 매트를 깔아 놓기도 하고 또 여름철 물놀이 공원에서 볼 수 있는 물 미끄럼틀에는 계속 물을 흘려보낸다. 이처럼 일상에서는 마찰력을 크게 또는 더 작게 하여 이용하기도 한다.

**중요 개념**

● 마찰력의 이용

| 마찰력을 크게 하는 경우 | 마찰력을 작게 하는 경우 |
| --- | --- |
| 등산화 바닥을 울퉁불퉁하게 만든다. | 수영장의 미끄럼틀에 ❷(　ㅁ　)을 흘려보낸다. |
| 계단 끝에 미끄럼 방지 패드를 붙인다. | 창문을 열고 닫을 때 ❸(　ㅂㅋ　)를 사용하거나 |
| 현악기를 연주할 때 활에 송진을 바른다. | 기름칠을 한다. |
| 체조 선수가 손에 ❶(　ㅎㄱㄹ　)를 묻힌다. | 기계나 자전거의 체인에 윤활유를 사용한다. |

**Tip**

**굴리면 작아지는 힘**
➡ 물체와의 접촉면에서 물체를 굴러가게 하면 마찰력을 훨씬 줄일 수 있다.

답 ❶ 횟가루 ❷ 물 ❸ 바퀴

# 개념 원리 확인

○정답과 해설 **18**쪽

## 2-1

다음은 어떤 힘을 이용하는 예이다. ㉠, ㉡에 공통으로 들어갈 힘의 종류를 쓰시오.

컬링 선수가 신는 컬링화의 양쪽 바닥은 서로 다른 재질로 되어 있기 때문에 선수가 얼음판을 이동할 때 한쪽 발로 미끄럼을 탄다.

디딤발의 바닥은 ㉠(          )을 이용하여 쉽게 미끄러지지 않는 재질로 만든다.

빙판에 닿는 발의 바닥은 ㉡(          )을 최대한 작게 받아 쉽게 미끄러지는 재질로 만든다.

일상에서는 접촉면의 성질을 다르게 하여 마찰력을 크게 하기도 하고 작게 하기도 해.

## 2-2

마찰력을 이용하는 방법이 나머지 넷과 <u>다른</u> 하나는?

① 체조 선수가 손에 횟가루를 묻힌다.
② 겨울철 가파른 경사면에 모래를 뿌린다.
③ 계단 끝에 미끄럼 방지 패드를 부착한다.
④ 수영장의 미끄럼틀에 물을 계속 흘려보낸다.
⑤ 양말 바닥에 고무를 붙여 올록볼록하게 만든다.

## 2-3

마찰력을 크게 하여 이용하는 경우를 보기 에서 모두 고르시오.                    (          )

마찰력의 크기는 접촉 면이 거칠수록 커져.

**보기**

ㄱ. 자동차 스노체인

ㄴ. 선수가 입는 스킨 슈트

ㄷ. 바닥이 거친 등산화

ㄹ. 컬링 경기의 빙판 솔질

**대표 기출문제** 주제 1 마찰력의 방향과 크기

## 1-1

그림 (가), (나)와 같이 물체가 각각 수평면과 빗면에서 화살표 방향으로 운동하고 있다.

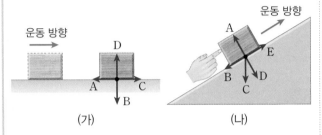

운동 방향

(가)

운동 방향

(나)

이때 물체와 접촉면 사이에 작용하는 마찰력의 방향을 옳게 짝 지은 것은?

|   | (가) | (나) |
|---|---|---|
| ① | A | B |
| ② | C | B |
| ③ | A | E |
| ④ | C | D |
| ⑤ | C | E |

## 1-2

마찰력에 대한 설명으로 옳지 않은 것은?

① 접촉면이 거칠수록 마찰력은 커진다.

② 접촉면에서 물체의 운동을 방해하는 힘이다.

③ 물체가 서로 접촉한 상태에서 작용하는 힘이다.

④ 마찰력은 항상 물체의 운동과 반대 방향으로 작용한다.

⑤ 마찰력의 크기는 물체의 무게와는 상관없이 접촉면의 성질에 따라 달라진다.

## 1-3

그림과 같이 크기와 재질이 같은 나무 도막에 같은 종류의 용수철저울을 연결하고 나무 도막이 움직이는 순간까지 용수철저울을 잡아당겼다.

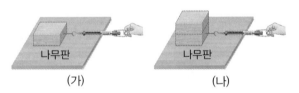

나무판

(가)

나무판

(나)

이에 대한 설명으로 옳은 것을 보기 에서 모두 고른 것은?

보기

ㄱ. 용수철저울의 눈금은 (가)<(나)이다.

ㄴ. 나무판을 누르는 힘은 (가)<(나)이다.

ㄷ. 나무 도막과 나무판 사이의 거칠기는 (가)<(나)이다.

① ㄱ      ② ㄴ      ③ ㄱ, ㄴ

④ ㄱ, ㄷ      ⑤ ㄴ, ㄷ

**Hint** 물체가 움직이는 순간 용수철저울의 눈금은 마찰력의 크기와 같다. 마찰력은 면을 누르는 힘의 크기가 클수록 크다.

### 문제 해결 Point

**가이드** **마찰력**은 운동을 방해하는 힘으로, 방해한다는 의미는 운동과 반대 방향으로 작용한다는 것임을 알아 둔다.

**해결 Point** 빗면에 놓인 물체는 빗면을 따라 미끄러져 내려가려는 힘이 작용하지만 그림과 같이 빗면 위쪽으로 힘을 작용하여 이동하면 마찰력은 운동을 방해하는 힘이므로 운동과 반대 방향인 빗면 아래 방향으로 작용한다.

**오개념 주의** 물체에 힘이 작용하였는데 정지해 있을 경우 마찰력의 방향은 작용한 힘과 반대 방향이다. 하지만 힘이 가해지며 운동하는 경우 마찰력의 방향은 운동과 반대 방향이다.

**대표 기출문제**  주제2  마찰력의 이용

## 2-1

그림과 같이 여름철 수영장의 미끄럼틀에는 물을 계속 흘려보낸다. 주변에서 마찰력을 이와 같은 예로 이용하는 경우로 옳은 것은?

① 바이올린의 활을 송진으로 문지른다.
② 체조 선수가 손에 송진 가루를 묻힌다.
③ 등산화는 바닥을 울퉁불퉁하게 만든다.
④ 눈 오는 날 자동차 타이어에 쇠사슬을 감는다.
⑤ 컬링 경기에서 선수들이 빙판을 솔로 문지른다.

### 문제 해결 Point

가이드  일상생활에서 마찰력을 크게 하면 편리한지, 작게 하면 편리한지를 판단할 수 있어야 한다.

해결 Point  미끄럼틀에 물을 흘려보내면 마찰력이 작아져 더 빠르게 미끄러지므로 마찰력을 작게 하는 예이다.
① 바이올린 줄과 활이 마찰하여 소리를 내므로 송진을 발라 마찰력을 크게 한다.
② 체조 선수가 운동 중에 나는 땀으로 미끄러질 수 있으므로 송진 가루를 묻혀 마찰력을 크게 한다.
③ 등산화 바닥이 울퉁불퉁하면 지면과 접촉면이 거칠어져 마찰력이 커진다.
④ 눈 오는 날 미끄러지는 사고를 막기 위해 자동차 타이어에 쇠사슬을 감아 마찰력을 크게 한다.
⑤ 컬링 경기에서 빙판을 솔로 문지르면 열이 발생하여 빙판이 녹게 되므로 마찰력이 작아진다.

## 2-2

마찰력에 의한 현상, 또는 마찰력을 이용하는 생활의 예로 옳지 않은 것은?

① 목욕탕 입구에 발 매트를 깔아둔다.
② 축구공이 잔디밭을 굴러가다가 멈춘다.
③ 고속도로 주변은 대형 방음벽을 설치한다.
④ 스키보드는 바닥을 매끈하게 만든다.
⑤ 매듭을 짓는 끈은 거칠게 만든다.

**Hint**  방음벽은 소리의 전파를 막는 장치이다.

## 2-3

그림 (가)와 같이 아크릴판 경사면에서 병뚜껑이 미끄러지는 각을 측정하였다. 또 (나)와 같이 아크릴판에 비눗물을 뿌리고 같은 병뚜껑이 미끄러지는 각을 측정하였다. 마지막으로 (다)와 같이 사포를 깔고 병뚜껑이 미끄러지는 각도를 측정하였다.

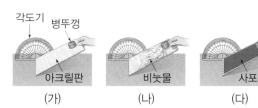

|     |     |     |
| :-: | :-: | :-: |
| (가) | (나) | (다) |

이에 대한 설명으로 옳지 않은 것은?

① 마찰력은 접촉면이 거칠수록 커진다.
② 미끄러지는 각도는 (나)<(가)<(다)이다.
③ 마찰력의 크기는 (나)<(가)<(다)이다.
④ 이 실험을 통해 자동차가 달릴 때 빗길 운전을 조심해야 함을 알 수 있다.
⑤ 이 실험을 통해 도로의 경사면이 거칠수록 마찰력의 크기가 작아짐을 알 수 있다.

**Hint**  접촉면이 거칠수록 미끄러지는 각도가 크다. 또 미끄러지는 각도가 클수록 미끄러져 내려가는 순간의 마찰력이 크다. 따라서 접촉면이 거칠수록 마찰력의 크기가 커진다.

## 3주 2일 부력

**주제 1** **부력의 작용**

잔잔한 바다에 오리배가 떠 있고 열기구의 부피가 점점 커지면서 하늘 높이 떠오른다. 이것은 오리배와 열기구에 위로 밀어 올리는 힘이 작용하기 때문인데 이 힘을 부력이라고 한다. 이처럼 부력은 중력과 반대 방향으로 작용한다.

> 높이 올라가고 있어. 내 몸이 점점 커지면서 공기가 밀어 올리는 힘도 커져서지! 하늘 여행은 언제나 신나!

> 나는 라디오존데라고 해. 공기의 부력을 받아 올라가면서 상층 공기의 기압, 기온, 습도를 지상으로 송신하는 역할을 해.

> 지구상의 모든 물체는 중력을 받아 아래로 떨어진다고 했는데 부력은 중력을 거슬러 위로 올리게 하는 힘이야.

> 물이 받쳐 주니까 물 위에 누워 하늘을 볼 수 있어!

> 부력을 이용해 수영도 할 수 있고!

**중요 개념**

- **＊부력** 액체나 기체가 그 속에 들어 있는 물체를 위로 밀어 올리는 힘
- **부력의 방향** 중력과 ❶( ㅂㄷ ) 방향인 위쪽
  - (1) 물체가 떠오를 때: 부력＞중력
  - (2) 물체가 떠 있을 때: 부력 ❷(    ) 중력
  - (3) 물체가 가라앉을 때: 부력＜중력
- **부력의 이용** 구명조끼, 튜브, 부표, 잠수함, 열기구, 비행선 등

**Tip**

**잠수함의 원리**
➡ 공기 조절 탱크에 물을 채우면 잠수함의 무게가 증가해서 가라앉고, 물을 빼면 무게가 감소해서 물 위로 뜬다.

답 ❶ 반대 ❷ ＝

# 개념 원리 확인

○ 정답과 해설 18쪽

## 1-1

그림과 같이 물 위에 오리 인형이 가라앉지 않고 떠 있을 수 있는 까닭은 인형에 어떤 힘이 작용하기 때문이다.

(1) 이 힘의 이름을 쓰시오. (　　　)
(2) 이 힘이 작용하는 방향은 A, B 중 무엇인가? (　　　)

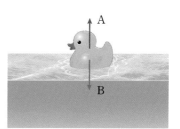

## 1-2

물속에 잠긴 물체의 부피만큼 물이 밀어 올리는 힘이 부력이야!

부력에 대한 설명으로 옳은 것은? (정답 2개)

① 물속에 가라앉은 물체는 부력을 받지 않는다.
② 무거운 배를 물 위에 뜨게 하는 힘은 부력이다.
③ 부력의 방향은 중력의 방향과 항상 같은 방향이다.
④ 액체와 기체 속에서 부력은 모든 방향으로 작용한다.
⑤ 부력은 액체나 기체 속에서 물체를 위로 밀어 올리는 힘이다.

위로 올라가거나 뜨게 하는 것은 밀어 올려주는 힘에 의해서지!

## 1-3

일상생활에서 부력을 이용한 예로 옳은 것을 보기 에서 모두 고른 것은?

보기
ㄱ. 구명조끼　　　　　ㄴ. 컴퓨터 자판　　　　　ㄷ. 유람선
ㄹ. 애드벌룬　　　　　ㅁ. 스킨 수영복

① ㄱ, ㄴ, ㄷ　　　　　② ㄱ, ㄷ, ㄹ　　　　　③ ㄱ, ㄷ, ㅁ
④ ㄴ, ㄷ, ㄹ　　　　　⑤ ㄴ, ㄷ, ㅁ

용어 풀이

＊부력(浮 뜨다, 力 힘): 기체나 액체에 잠긴 물체의 위아래에 작용하는 압력차만큼 물체를 중력과 반대 방향으로 밀어 올리려는 힘

# 2일 부력

### 주제 2 부력의 크기 측정

아르키메데스는 물체가 물에 잠길 때 힘이 작용하는 원리를 발견한 일화로 유명하다. 대형 선박과 작은 돛단배가 물에 떠 있을 때 대형 선박이 밀어낸 물의 양이 작은 돛단배에 비해 많기 때문에 더 큰 부력을 받는다.

### 중요 개념

● **부력의 크기** 물속에서 물체가 밀어낸 물의 양이 많을수록 부력의 크기가 커짐
● **같은 질량의 쇠뭉치와 쇠그릇에 작용하는 부력의 크기** 쇠그릇은 쇠뭉치보다 ❶( ㅂㅍ )가 크기 때문에 물에 놓으면 쇠뭉치는 물에 가라앉지만 쇠그릇은 뜬다.
● **부력의 크기 측정** 물에 잠기기 전후 무게 차이, 또는 물에 잠겼을 때 밀어낸 물의 무게
  (1) 부력의 크기＝물에 잠기기 전 물체의 무게－물에 잠겼을 때 물체의 무게
  (2) 물에 잠긴 물체의\*부피가 클수록 ❷( ㅂㄹ )이 크게 작용

**Tip**

아르키메데스 원리
➡ 부력의 크기는 물체의 질량과 관계없이 물에 잠긴 물체가 밀어낸 물의 양에 의해 결정됨

**답** ❶ 부피 ❷ 부력

지구상의 모든 물체는 중력을 받아 아래로 떨어지지만 위로 올라가기도 해. 바로 부력이 작용해서지.

## 2-1

그림은 헬륨을 채운 풍선이 하늘로 올라가는 모습을 나타낸 것이다. 이를 설명한 글의 ( ) 안에서 알맞은 말을 고르시오.

풍선에는 ㉠( 중력 / 부력 )이 위쪽으로 작용하며, 이때 위로 작용하는 ㉡( 마찰력 / 부력 )의 크기가 중력의 크기보다 크기 때문에 풍선이 하늘로 올라가게 된다.

## 2-2

그림과 같이 무게가 1 N인 추를 용수철저울에 매달아 물에 잠기게 하면서 무게를 측정하였다. ( ) 안에서 알맞은 말을 고르시오.

(가) 공기 중

(나) 반만 잠길 때

(다) 전체 잠길 때

(1) 용수철저울의 눈금이 가장 작은 때는 ( (가) / (나) / (다) )이다.

(2) (다)에서 저울의 눈금이 0.6 N이면 추에 작용한 부력의 크기는 ( 0.6 N / 0.4 N )이다.

(3) 물에 잠긴 추의 부피가 커질수록 증가하는 것은 ( 부력 / 중력 )이다.

부력의 크기는 물체가 밀어낸 물의 부피가 클수록 커져.

## 2-3

그림은 같은 부피의 서로 다른 물체 A, B, C를 물에 넣었을 때의 모습을 나타낸 것이다. 이에 대한 설명으로 옳은 것은? (정답 2개)

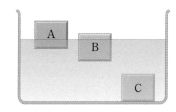

① C에 작용하는 부력은 A보다 크다.

② A와 B에는 중력이 작용하지 않는다.

③ C에 작용하는 부력은 아래 방향이다.

④ A와 B에 작용하는 부력의 크기는 같다.

⑤ A와 B에는 부력이 위 방향으로 작용한다.

**용어 풀이**

＊**부피**: 물질이 차지하는 공간의 크기, 단위로 세제곱미터(m³) 리터(L) 등을 사용함

## 1-1

그림과 같이 무게가 10 N인 나무 도막이 물 위에 떠 있다. 이에 대한 설명으로 옳은 것을 보기 에서 모두 고른 것은?

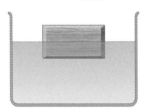

보기

ㄱ. 나무 도막에 작용하는 부력의 크기는 10 N보다 크다.

ㄴ. 나무 도막에 작용하는 부력과 중력의 크기가 서로 같다.

ㄷ. 나무 도막에 작용하는 부력과 중력의 방향은 서로 반대이다.

① ㄱ      ② ㄱ, ㄴ      ③ ㄱ, ㄷ

④ ㄴ, ㄷ      ⑤ ㄱ, ㄴ, ㄷ

### 문제 해결 Point

**가이드**   **부력**은 액체나 기체가 물체를 위로 밀어 올리는 힘이다. 나무 도막이 물에 떠 있을 때 중력과 부력의 크기 관계를 알고 있어야 한다.

**해결 Point**   무게가 10 N인 물체가 물에 떠 있을 때 물체가 밀어낸 물의 양에 해당하는 무게만큼 가벼워진다. 물속에서의 무게는 밀어낸 물의 양의 무게에 해당하는 부력만큼 가벼워지므로 부력은 10 N보다 작다. 부력은 항상 중력과 반대 방향인 위쪽으로 작용한다.

**오개념 주의**   물속이나 물 위에 물체가 가만히 떠 있을 때 물체에 작용하는 부력과 중력의 크기는 서로 같다.

## 1-2

부력에 의해 나타나는 현상을 보기 에서 모두 고른 것은?

보기

ㄱ. 짐을 가득 실은 배가 바다에 떠 있다.

ㄴ. 우주 정거장 안에서 우주인들이 공중에 떠 있다.

ㄷ. 잠수함은 공기 조절 탱크에 물이 드나들 수 있어서 뜨고 가라앉을 수 있다.

① ㄱ      ② ㄱ, ㄴ      ③ ㄱ, ㄷ

④ ㄴ, ㄷ      ⑤ ㄱ, ㄴ, ㄷ

## 1-3

그림과 같이 질량과 부피가 같은 두 물체 A, B를 수평 저울에 매단 다음 물체 A만 물이 든 비커에 넣었다.

이때 현재 위치보다 더 위로 올라가는 물체를 고르고 그 까닭을 옳게 설명한 것은?

① A, A에 작용하는 중력이 증가하기 때문이다.

② A, A에 부력이 작용하기 때문이다.

③ B, A에 작용하는 중력이 감소하기 때문이다.

④ B, A에 부력이 작용하기 때문이다.

⑤ 변화 없다. A와 B의 질량과 부피가 같기 때문이다.

**Hint** 물체가 실을 아래로 당기는 것은 중력에 의해서이다. 하지만 물체를 물에 넣으면 물이 물체를 위로 밀어 올리므로 밀어낸 물의 양에 해당하는 무게만큼 가벼워진다.

**대표 기출문제** 주제 2 부력의 크기 측정

## 2-1

그림과 같이 빈 페트병을 물이 채워진 수조에 넣고 서서히 눌러서 잠기게 할 때 손이 받는 힘의 크기를 알아보는 실험을 하였다.

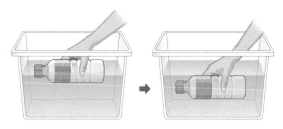

페트병을 물속에 점점 더 많이 잠기게 할 때 손이 받는 힘의 크기에 대한 설명으로 옳은 것은? (정답 2개)

① 손이 위쪽으로 받는 힘의 크기가 커진다.

② 손이 위쪽으로 받는 힘의 크기가 작아진다.

③ 손이 아래쪽으로 받는 힘의 크기가 커진다.

④ 손이 아래쪽으로 받는 힘의 크기가 작아진다.

⑤ 손이 받는 힘의 크기는 페트병이 물에 잠긴 부피가 커질수록 커진다.

---

**문제 해결 Point**

가이드 | **부력**은 중력과 반대 방향으로 작용하고 기체나 액체에 잠기는 물체의 부피가 클수록 커진다는 사실을 알고 있어야 한다.

해결 Point | 페트병을 물속에 넣을 때 물이 페트병을 위로 밀어 올리는 힘을 작용한다. 따라서 손은 물이 페트병을 위로 밀어 올리는 힘을 받게 된다. 물속에서 페트병이 차지하는 부피가 커질수록 부력이 커지므로 페트병을 더 많이 잠기게 할수록 손이 위쪽으로 받는 힘의 크기가 커진다.

## 2-2

그림과 같이 질량과 부피가 모두 다른 물체 A, B, C를 물이 담긴 수조에 넣었더니 B는 완전히 잠기고 A, C는 수면 근처에 떠 있다.

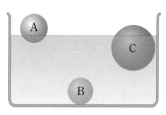

이에 대해 잘못 말하고 있는 사람을 고르고, 그 내용을 옳게 고쳐 쓰시오.

지수: A가 가장 높이 떠올라 있으니 당연히 A에 작용하는 부력이 가장 클 것 같아.

하영: 글쎄? 물체 B는 가라앉은 걸로 보면 부력보다 중력이 크다는 거야.

한별: 음~. 물체 C가 밀어낸 물의 양이 가장 많으니까 부력이 가장 크게 작용해.

**Hint** 물체에 작용하는 부력의 크기는 밀어낸 물의 양에 의해 결정된다.

## 2-3

그림은 무게는 다르고 부피가 같은 물체 A, B가 물에 떠 있는 상태를 나타낸 것이다. 이때 두 물체 A, B에 작용하는 중력과 부력의 크기를 비교한 것으로 옳은 것은?

| | 중력 | 부력 | | 중력 | 부력 |
|---|---|---|---|---|---|
| ① | A<B | A>B | ② | A<B | A<B |
| ③ | A>B | A>B | ④ | A>B | A<B |
| ⑤ | A=B | A=B | | | |

**Hint** 물에 떠 있을 때 중력=부력, 부력은 물체가 밀어낸 물의 양이 많을수록 크다.

# 3일 생명의 풍요로움, 생물 다양성

**주제 1** 생물 다양성과 생태계 다양성

생물 다양성은 일정한 지역에 사는 생물의 다양한 정도를 말하며, 생태계 다양성, 종 다양성, 유전자 다양성이 모두 포함된 개념이다. 생태계에는 습지, 산림, 강, 바다, 사막, 초원, 갯벌, 툰드라 등이 있다.

**중요 개념**

- **생물 다양성** 생태계나 특정 지역에 사는 생물의 다양한 정도
- **두 지역의 생물 다양성 비교**

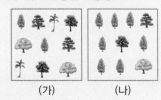

(가)　　　(나)

(가) 지역: 여러 종류의 나무가 고르게 분포함
➡ 생물 다양성이 ❶( ㄴㄷ ).

(나) 지역: 한 종류의 나무가 대부분을 차지함
➡ 생물 다양성이 ❷( ㄴㄷ ).

**Tip**

**생물 다양성**
➡ 어떤 지역에 살고 있는 생물의 종류가 많고 고르게 분포할수록 생물 다양성이 높다.

**답** ❶ 높다 ❷ 낮다

# 개념 원리 확인

일정한 지역에 생물의 종류가 많고 고르게 분포하면 생물 다양성이 높아.

## 1-1

생물 다양성에 대한 설명이다. 빈칸에 알맞은 말을 쓰시오.

(1) 생물 다양성이란 생태계나 특정 지역에 사는 생물의 다양한 정도를 말하며, (          ) 다양성, 종 다양성, 유전적 다양성을 포함한다.

(2) 일정한 지역에는 강, 습지, 산림 등의 (          )가 다양하게 존재한다.

## 1-2

생물 다양성에 대한 설명으로 옳은 것은 ○표, 옳지 않은 것은 × 표를 하시오.

(1) 생태계 다양성은 사막, 초원, 산림, 습지 등 생태계가 다양하게 형성되는 것을 의미한다.

(          )

(2) 기후, 물, 토양 등 생태계를 이루는 환경은 그 속에서 살아가는 생물과 생태계의 형성에 영향을 미치지 않는다.

(          )

**3**주

**3**일

## 1-3

그림은 생태계 중 늪을 나타낸 것이다.

이에 대한 설명으로 옳은 것을 보기 에서 모두 고르시오.          (          )

늪의 생태적, 경제적 가치를 찾아 봐!

> **보기**
>
> ㄱ. 다양한 종의 생물이 서식한다.
> ㄴ. 사막 생태계에 비해 생물 다양성이 낮다.
> ㄷ. 인간 활동에 의해 그 면적이 점차 줄어들고 있다.
> ㄹ. 육상 생태계와 수중 생태계를 연결하는 완충 역할을 한다.

**용어 풀이**

*  **계**(系 맬): '분야' 또는 '영역'의 뜻

# 3일 생명의 풍요로움, 생물 다양성

**주제 2**   **종 다양성과 유전자 다양성**

생태계가 다양하고 생물의 종 또한 많아지면 생물 다양성이 높아지며, 같은 생물종 사이에 나타나는 유전자의 다양성도 생물 다양성을 결정짓는 중요한 요소이다.

**중요 개념**

● **종 다양성**   일정한 지역에서 살아가는 생물종의 다양한 정도
*● **유전자 다양성**   같은 종에 속하는 생물 사이에 나타나는 유전적인 다양한 정도
● 생물이 살아가는 다양한 ❶( ㅅㅌㄱ )가 있고, 그 속에 많은 ❷( ㅈ )의 생물이 서식하고 있으며, 각 종의 생물이 ❸( ㅇㅈㅈㅇ ) 차이에 의해 다양한 특징을 가질 때 생물 다양성은 잘 유지됨

**Tip**

**생물 다양성**
➡ 생태계 다양성, 종 다양성, 유전자 다양성이 높을수록 생물 다양성이 높다.

**답** ❶ 생태계 ❷ 종 ❸ 유전적인

# 개념 원리 확인

생물 다양성이란 일정한 지역에 사는 생물의 다양한 정도를 말해!

## 2-1

생물 다양성에 대한 설명이다. 빈칸에 알맞은 말을 쓰시오.

(1) (                    )은 어떤 생태계에 존재하는 생물종의 다양한 정도를 의미한다.

(2) (                    )은 동일한 생물종이라도 색깔, 모양 등의 특징이 각 개체 간에 다르게 나타나는 것을 의미한다.

## 2-2

생물 다양성에 대한 설명으로 옳은 것은 ○표, 옳지 않은 것은 ×표를 하시오.

(1) 일정한 지역에 다양한 종의 생물이 고르게 분포하면 생물 다양성이 낮다. (        )

(2) 생물 다양성에는 생태계, 생물의 종, 유전자의 다양함이 모두 포함된다. (        )

## 2-3

그림은 같은 지역에 사는 한 종의 무당벌레를 나타낸 것이다.

생물의 형질은 유전 정보에 따라 달라져!

이들 무당벌레는 겉날개 무늬와 색깔 등의 특징이 매우 다양하다. 이는 생태계 다양성, 종 다양성, 유전자 다양성 중 어떤 것에 해당하는지 쓰시오. (                    )

용어 풀이

＊유전자(遺 남길, 傳 전할, 子 아들): 생물체의 개개의 유전 형질을 나타내는 원인이 되는 인자

**대표 기출문제** | **주제 1** 생물 다양성과 생태계 다양성

## 1-1

다음은 생물 다양성에 대한 내용이다.

(가) 일정한 지역에서 살아가는 생물종의 다양한 정도
(나) 같은 종에 속하는 생물의 크기나 색깔 등이 다양한 정도
(다) 일정한 지역에 습지, 산림, 강, 바다, 사막, 초원, 갯벌, 툰드라 등이 다양한 정도

(가)~(다)에 해당하는 것을 옳게 짝 지은 것은?

| | (가) | (나) | (다) |
|---|---|---|---|
| ① | 종 다양성 | 생태계 다양성 | 유전자 다양성 |
| ② | 종 다양성 | 유전자 다양성 | 생태계 다양성 |
| ③ | 생태계 다양성 | 종 다양성 | 유전자 다양성 |
| ④ | 생태계 다양성 | 유전자 다양성 | 종 다양성 |
| ⑤ | 유전자 다양성 | 생태계 다양성 | 종 다양성 |

### 문제 해결 Point

**가이드**  생태계나 특정 지역에 사는 **생물의 다양한 정도**를 생물 다양성이라고 한다.

**해결 Point**  생물 다양성은 생태계 다양성, 종 다양성, 유전자 다양성을 모두 포함한다.

**오개념 주의**  생물 다양성이란 종이 다양하다는 의미뿐만 아니라 생태계의 다양함과 하나의 종이 가지는 유전적인 다양함도 모두 포함하는 개념이다.

## 1-2

다음은 생물 다양성에 대해 세 학생이 이야기를 나눈 것이다.

• 은영: 생물 다양성은 생태계 다양성, 종 다양성, 유전자 다양성을 포함한 거야.
• 유진: 산림, 초원, 강, 바다, 사막 등이 다양하게 나타나는 것은 생태계 다양성과 관련 있어.
• 영희: 기온이나 강수량 등의 환경은 생물 다양성에 영향을 미치지 않아.

대화 내용 중 옳지 않게 말한 사람은?

① 은영          ② 유진          ③ 영희

④ 은영, 유진          ⑤ 유진, 영희

**Hint** 생물 다양성은 생태계 다양성, 종 다양성, 유전자 다양성을 모두 포함하며, 생물은 주변 환경에 적응하며 살아간다.

## 1-3

생태계 다양성에 대한 설명으로 옳은 것을 보기 에서 모두 고른 것은?

보기
ㄱ. 생태계의 종류가 다양해지면 생물 다양성이 높아진다.
ㄴ. 일정 지역에 존재하는 생물종의 다양한 정도를 의미한다.
ㄷ. 습지는 육지와 물을 이어주고 있어 다양한 종의 생물이 서식한다.

① ㄱ          ② ㄴ          ③ ㄷ

④ ㄱ, ㄷ          ⑤ ㄴ, ㄷ

**대표 기출문제** 주제 2 종 다양성과 유전자 다양성

## 2-1

그림은 생물 다양성을 나타낸 것이다.

생태계 다양성      종 다양성      유전자 다양성

이에 대한 설명으로 옳은 것을 보기 에서 모두 고른 것은?

보기

ㄱ. 일정한 지역에 여러 종류의 생물이 고르게 분포하면 생물 다양성이 높다.

ㄴ. 같은 종에 속하는 생물의 크기나 생김새 등의 차이는 종 다양성에 해당한다.

ㄷ. 생물 다양성은 종 다양성뿐만 아니라 생태계 다양성, 유전자 다양성도 포함한다.

① ㄱ      ② ㄴ      ③ ㄷ

④ ㄱ, ㄷ      ⑤ ㄴ, ㄷ

## 2-2

다음은 생물 다양성의 어떤 요소를 설명한 것인가?

같은 종에 속하는 생물의 크기와 생김새 등의 특징이 다양하게 나타나는 것으로, 그 예로 뿔의 크기가 다양한 소, 다양한 모양과 색깔의 감자 등이 있다.

① 종 다양성

② 생태계 다양성

③ 유전자 다양성

④ 생물종과 환경의 상호 작용

⑤ 같은 서식지 안의 종 사이의 특성

**Hint** 같은 종에 속하는 생물이 서로 다른 유전자를 가지고 있으면 크기와 생김새 등의 특징이 다르게 나타난다.

## 2-3

생물 다양성에 대한 설명으로 옳지 <u>않은</u> 것은?

① 다양한 생태계가 있을수록 종 다양성도 증가한다.

② 일정한 지역에 서식하는 생물종의 수가 많을수록 생물 다양성이 높다.

③ 다양한 종이 복잡한 먹이 사슬을 이룰수록 생태계는 더 안정적으로 유지된다.

④ 습지 생태계는 생물 다양성이 낮아 초원이나 사막 등 다른 생태계에 비해 중요도가 낮다.

⑤ 유전자 다양성이 높은 개체군은 갑작스러운 환경 변화에 적응하여 살아남을 가능성이 크다.

### 문제 해결 Point

가이드   생물 다양성은 **생태계 다양성, 종 다양성, 유전자 다양성**을 모두 포함한다.

해결 Point   일정한 지역에 살아가는 <u>생물종의 수가 많고 고르게 분포</u>하면 생물 다양성이 높다.

오개념 주의   같은 종에 속하는 생물이 크기와 생김새가 다른 것은 유전자의 차이에 의해 나타난다.

# 3주 4일 환경에 따라 다양한 생물

주제 1 **환경에 따라 다양한 생물**

생물은 빛, 온도, 물, 계절, 바람 등의 환경 변화에 적응하여 살아간다.

### 중요 개념

● *환경과 생물 다양성*   생물은 빛, 온도, 물, 바람 등의 ❶( ㅎㄱ )에 적응하여 살아감
● 환경에 따라 적응한 예
  (1) 소라: 물살의 세기에 따라 ❷( ㄲㄷㄱ )의 모양이 다름
  (2) 낙타: 모래 바람을 막을 수 있도록 ❸( ㅋㄱㅁ )을 여닫을 수 있음
  (3) 호랑나비: 여름에 태어난 호랑나비가 봄에 태어난 개체보다 크기가 크고 색깔이 진함

> **Tip**
> 환경에 따라 다양한 생물
> ➡ 생물은 빛, 온도, 물, 바람 등의 환경에 의해 다양한 특징이 나타난다.

답 ❶ 환경 ❷ 껍데기 ❸ 콧구멍

# 개념 원리 확인

○ 정답과 해설 21쪽

## 1-1

환경과 생물 다양성에 대한 설명이다. 빈칸에 알맞은 말을 쓰시오.

(1) 생물은 온도, 물살의 세기, 계절 등과 같은 (　　　　)에 따라 다양한 특징을 나타낸다.

(2) 사막여우가 북극여우에 비해 귀가 크고 몸집이 작은 것은 (　　　　)의 방출을 쉽게 하기 위해서이다.

생물은 빛, 온도, 계절 등의 변화에 적응하여 살아갈 수 있지!

## 1-2

생물 다양성에 대한 설명으로 옳은 것은 ○표, 옳지 않은 것은 ×표를 하시오.

(1) 바나나와 같은 잎이 넓은 식물은 사막의 환경에 잘 적응할 수 있다. 　　　　(　　　)

(2) 눈신토끼의 경우 여름과 겨울에 털 색깔이 다르게 변해 천적으로부터 몸을 보호할 수 있다. 　　　　(　　　)

생물의 형질은 환경에 잘 적응할 수 있도록 발달되어 있지!

## 1-3

그림 (가)와 (나)는 물살의 세기가 다른 곳에 사는 소라의 껍데기 모양을 나타낸 것이다.

(가)　　　　　　　　(나)

(1) (가)와 (나)의 생김새가 서로 달라진 환경 요인을 쓰시오. 　　　(　　　　　)

(2) 소라 (가)와 (나) 중에서 물살이 센 곳에 사는 소라를 쓰시오. 　　　(　　　　　)

용어 풀이

＊환경(環 고리, 境 지경): 생물에게 직접·간접으로 영향을 주는 자연적 조건이나 사회적 상황

3주

4일

# 3주 4일 환경에 따라 다양한 생물

### 주제 2 변이

같은 종에 속하는 생물 사이에서 나타나는 서로 다른 특징을 말하며, 환경의 차이나 유전자 차이에 따라 변이가 나타날 수 있다.

### 중요 개념

* 변이   같은 종에 속하는 생물 사이에 나타나는 서로 다른 특징
* 변이의 원인
  (1) ❶( ㅎㄱ )의 차이에 따른 변인: 주변 환경의 차이에 따른 변이
  (2) ❷( ㅇㅈㅈ )의 차이에 따른 변이: 부모로부터 물려받은 유전자 차이에 의한 변이

> **Tip**
>
> 변이
> ➡ 환경의 차이나 유전자 차이 또는 유전자와 환경의 상호 작용으로 변이가 나타날 수 있다.

답 ❶ 환경 ❷ 유전자

# 개념 원리 확인

## 2-1

생물의 변이에 대한 설명이다. 빈칸에 알맞은 말을 쓰시오.

(1) (　　　　)는 같은 종에 속하는 생물 사이에서 나타나는 서로 다른 특징을 의미한다.

(2) 햇빛이 비치는 양이나 기후 등 주변 (　　　　)의 변화에 따라 변이가 나타날 수 있다.

변이는 환경 차이나 유전자의 차이로 나타나게 돼!

## 2-2

생물의 변이에 대한 설명으로 옳은 것은 ○표, 옳지 않은 것은 ×표를 하시오.

(1) 환경에 적합한 변이를 가진 생물은 번성하여 환경과 조화를 이루며 살아갈 수 있다.

(　　　)

(2) 무당벌레의 겉날개 색깔과 무늬가 다른 것은 유전자가 서로 다르기 때문이다. (　　　)

환경에 적합한 변이를 가진 생물은 환경과 조화를 이루며 살아가게 돼!

## 2-3

변이에 대한 설명으로 옳은 것을 보기 에서 모두 고르시오. (　　　　)

> **보기**
>
> ㄱ. 환경의 차이나 유전자의 차이로 나타날 수 있다.
> ㄴ. 같은 생물종 사이에 나타나는 서로 다른 특징이다.
> ㄷ. 같은 부모 사이에서 태어난 자손은 변이가 나타나지 않는다.

용어 풀이

＊**변이**(變 변할, 移 옮길): 시간의 흐름에 따라 바뀌고 변함

## 1-1

그림은 북극여우와 사막여우를 나타낸 것이다.

▲ 북극 여우　　　▲ 사막 여우

이에 대한 설명으로 옳은 것을 보기 에서 모두 고른 것은?

보기

ㄱ. 여우에게 변이가 발생하여 서로 다른 환경에 적응
하였다.
ㄴ. 북극여우는 귀가 작고 몸집이 커서 추운 북극에서
생존하기 유리하다.
ㄷ. 사막여우는 귀가 크고 몸집이 작은 편이어서 열의
손실을 줄이기에 유리하다.

① ㄱ　　　　② ㄴ　　　　③ ㄷ
④ ㄱ, ㄴ　　　⑤ ㄴ, ㄷ

## 1-2

그림은 눈신토끼의 모습을 나타낸 것이다.

▲ 눈신토끼(여름)　　▲ 눈신토끼(겨울)

여름과 겨울에 눈신토끼의 털 색깔이 달라지는 까닭으로 가장 옳
은 것은?

① 짝짓기를 하기 위해서이다.
② 여름과 겨울의 기온차에 적응했기 때문이다.
③ 어미에게서 태어나는 시기가 다르기 때문이다.
④ 천적의 눈에 잘 띄지 않도록 적응했기 때문이다.
⑤ 여름에는 햇빛을 잘 흡수하고, 겨울에는 햇빛을 잘 반사하
기 때문이다.

Hint 겨울에 눈신토끼의 털 색깔은 눈 속에서 천적의 눈에 잘 띄지 않는다.

## 1-3

그림은 높은 산 위와 평지에서 자라는 눈잣나무의 모습을 나타낸
것이다.

▲ 높은 산 위의 눈잣나무　　▲ 평지의 눈잣나무

두 지역에서 자라는 눈잣나무의 모습이 서로 다른 것은 어떤 환경
에 적응한 결과인가?

① 바람
② 온도
③ 물의 양
④ 빛의 세기
⑤ 물살의 세기

### 문제 해결 Point

가이드 | 생물은 빛, 온도, 물, 바람 등의 **환경**에 적응하여 살아간
다.

해결 Point | 추운 지역에 사는 동물은 열의 손실을 막아 체온을 일
정하게 유지해야 한다. 이때 몸의 표면적이 작을수록
열손실이 적다.

오개념 주의 | 사막여우는 귀가 크고 몸집이 적은 편이어서 몸의 열을
방출하기 쉽다.

# 2-1

다음은 변이의 예를 나타낸 것이다.

> (가) 한 종의 무당벌레의 겉날개 색깔과 무늬가 다양하다.
> (나) 같은 나무에서 빛이 많이 비치는 쪽에 달린 열매는 크고 색깔이 좋지만, 그늘진 곳의 열매는 그렇지 않다.

이에 대한 설명으로 옳은 것을 보기 에서 모두 고른 것은?

> 보기
> ㄱ. 같은 종에 속하는 생물 사이에서 나타나는 서로 다른 특징을 변이라고 한다.
> ㄴ. (가)에서 한 종의 무당벌레의 겉날개 무늬와 색깔이 다양한 것은 부모로부터 물려받은 유전자가 다르기 때문이다.
> ㄷ. (나)에서 같은 나무에 달린 열매의 모습이 다른 까닭은 유전자의 차이 때문이다.

① ㄱ      ② ㄴ      ③ ㄷ

④ ㄱ, ㄴ      ⑤ ㄴ, ㄷ

**문제 해결 Point**

가이드 | 변이는 같은 종에 속하는 **생물 사이**에서 나타나는 서로 다른 특징을 말한다.

해결 Point | 같은 지역에 사는 한 종의 무당벌레의 겉날개 색깔과 무늬가 조금씩 다른 까닭은 유전자의 차이 때문이다.

오개념 주의 | 같은 나무에 달린 열매의 모습이 다른 까닭은 환경의 차이 때문이다.

# 2-2

변이에 대한 설명으로 옳지 <u>않은</u> 것은?

① 변이는 유전자의 차이에 의해 나타날 수 있다.

② 부모가 같은 개체는 동일한 특징이 나타난다.

③ 같은 종 사이에 나타나는 크기나 모양 등 서로 다른 특징이다.

④ 변이의 예로 달팽이의 껍데기 색깔과 무늬가 다른 것을 들 수 있다.

⑤ 변이가 다양하면 급격한 환경 변화에 적응할 가능성이 높아진다.

**Hint** 변이는 같은 종에 속하는 생물 사이에서 나타나는 서로 다른 특징으로, 같은 부모에게서도 다른 특징이 나타날 수 있다.

# 2-3

변이에 대한 설명으로 옳은 것을 보기 에서 모두 고른 것은?

> 보기
> ㄱ. 변이는 같은 종 내에서 항상 동일하게 나타난다.
> ㄴ. 물살의 세기가 다른 곳에 사는 소라 껍데기 모양이 다른 것은 변이의 예이다.
> ㄷ. 같은 지역에 서식하는 다른 종 사이에 나타나는 특징의 차이를 변이라고 한다.
> ㄹ. 다양한 변이가 나타날수록 급격한 환경 변화가 일어날 때 생존할 가능성이 높아진다.

① ㄱ, ㄴ      ② ㄱ, ㄷ      ③ ㄴ, ㄷ

④ ㄴ, ㄹ      ⑤ ㄷ, ㄹ

### 주제 1 생물 분류 목적과 방법

생물 사이의 멀고 가까운 관계를 알아내기 위한 생물의 분류 방법에는 인간의 편의나 사는 장소 등에 따라 분류하는 인위 분류와, 생물을 생김새와 속 구조, 생식 방법, 생활사 등의 자연적인 특징에 따라 분류하는 자연 분류가 있다.

### 중요 개념

● **생물 분류 목적** 생물 사이의 멀고 가까운 관계를 알아내기 위함
● **생물 분류 방법**
  (1) ❶( ○○ ) 분류: 인간의 편의나 사는 장소 등에 따른 분류
  (2) ❷( ㅈㅇ ) 분류: 생물을 생김새와 속 구조, 생식 방법, *생활사 등 생물 본래의 자연적인 특징에 따른 분류

Tip
**생물 분류**
➡ 생물을 일정한 기준에 따라 비슷한 특징을 가진 무리로 나눈다.

답 ❶ 인위 ❷ 자연

# 개념 원리 확인

생물을 분류하면 체계적으로 이해하고 연구할 수 있어.

## 1-1

생물을 분류하는 방법과 목적에 대한 설명으로 옳은 것은 ○표, 옳지 않은 것은 ×표를 하시오.

(1) 인위 분류로 생물 사이의 멀고 가까운 관계를 제대로 알 수 있다. ( )

(2) 생물 사이의 멀고 가까운 관계를 밝혀 내기 위해 생물의 생김새, 속 구조, 생식 방법 등 생물의 자연적인 특징에 따라 분류하는 방법을 사용한다. ( )

(3) 생물을 초식 동물, 육식 동물, 잡식 동물 등 식성에 따라 분류하는 것은 자연 분류에 해당한다. ( )

먹을 수 있는 지의 여부와 사는 장소 등은 상황에 따라 주관적일 수 있어.

## 1-2

생물의 분류 방법에 대한 설명이다. 빈칸에 알맞은 말을 쓰시오.

(1) 식용 식물, 약용 식물과 같이 사람에 따라 기준이 달라서 객관적이지 않는 분류 방법을 ( ) 분류라고 한다.

(2) 척추동물, 무척추동물과 같이 사람에 따라 기준이 달라지지 않는 객관적인 분류 방법을 ( ) 분류라고 한다.

## 1-3

그림 (가)와 (나)는 동물을 어떤 분류 기준에 따라 나눈 것이다.

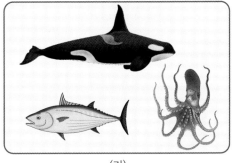

(가)

(나)

이때 사용한 분류 기준과 분류 방법을 각각 쓰시오.

(1) 분류 기준: ( )

(2) 분류 방법: ( )

용어 풀이

＊**생활사**(生 날, 活 살, 史 사기): 생활해 온 과정

3주

5일

**주제 2** 종

종은 생물을 분류할 때 가장 기본이 되는 단위로, 생물학적 종은 생김새와 생활 방식이 유사하고 자연 상태에서 교배하여 생식 능력이 있는 자손을 얻을 수 있는 생물의 무리를 말한다.

**중요 개념**

● **종** 생물을 분류할 때 가장 기본이 되는 단위
● **생물학적 종** 생김새와 생활 방식이 유사하고 자연 상태에서 *교배하여 ❶( ㅅㅅ ) 능력이 있는 자손을 얻을 수 있는 생물의 무리
  (1) 생김새와 몸의 크기가 달라도 교배를 통해 생식 능력이 있는 자손을 얻을 수 있으면 같은 종임 예 진돗개와 몰티즈
  (2) 생김새와 생활 방식이 유사해도 자연 상태에서 교배하여 생식 능력이 있는 자손을 얻지 못하면 같은 종이 아님 예 고릴라와 오랑우탄

**Tip**

종
➡ 자연 상태에서 교배하여 생식 능력이 있는 자손을 얻을 수 없으면 같은 종이 아니다.

답 ❶ 생식

# 개념 원리 확인

## 2-1

생물의 종에 대한 설명으로 옳은 것은 ○표, 옳지 않은 것은 × 표를 하시오.

(1) 고릴라와 오랑우탄은 생김새가 비슷하여 같은 종으로 분류한다.　　　　　　(　　　)

(2) 생김새와 생활 방식이 유사하고 자연 상태에서 교배하여 생식 능력이 있는 자손을 얻을 수 있는 생물 무리를 종이라고 한다.　　　　　　(　　　)

(3) 수탕나귀와 암말 사이에서는 생식 능력이 없는 노새가 태어나므로 당나귀와 말은 같은 종이 아니다.　　　　　　(　　　)

고릴라와 오랑우탄은 실제 교배가 불가능해.

## 2-2

생물의 종에 대한 설명이다. 빈칸에 알맞은 말을 쓰시오.

(1) 생물을 분류할 때 가장 기본이 되는 단위를 (　　　　)이라고 한다.

(2) 생김새와 몸의 크기가 달라도 교배를 통해 생식 능력이 있는 자손을 얻을 수 있으면 (　　　　) 종이다.

치와와와 푸들은 교배를 통해 생식 능력이 있는 자손을 얻을 수 있어.

**용어 풀이**

＊**교배**(交 사귈, 配 짝): 생물의 암수를 인위적으로 수정 또는 수분시켜 다음 세대를 얻는 일

## 2-3

생물학적으로 같은 종에 속하는 생물끼리 옳게 짝 지은 것을 보기 에서 모두 고르시오.　(　　　　)

**보기**

ㄱ. 말 - 당나귀　　　　　　　　ㄴ. 치와와 - 푸들
ㄷ. 침팬지 - 사람　　　　　　　ㄹ. 고릴라 – 오랑우탄

**대표 기출문제** **주제 1** 생물 분류 목적과 방법

## 1-1

다음은 생물 분류의 목적을 설명한 것이다.

생물을 생물 본래의 ⊙자연적인 특징에 따라 분류하면 생물 사이의 멀고 가까운 관계를 좀 더 쉽게 알 수 있다.

⊙에 해당하지 않는 것은?

① 꽃이 피는지 여부
② 물속에 사는지 여부
③ 새끼를 낳는지 여부
④ 광합성을 하는지 여부
⑤ 세포의 핵이 뚜렷한지 여부

## 1-2

생물 사이의 멀고 가까운 관계를 알아보기 위한 자연 분류에 해당하는 것을 보기 에서 모두 고른 것은?

보기
ㄱ. 새끼를 낳은 동물과 알을 낳는 동물
ㄴ. 먹을 수 있는 식물과 먹을 수 없는 식물
ㄷ. 꽃이 피는 식물과 꽃이 피지 않는 식물

① ㄱ      ② ㄴ      ③ ㄱ, ㄴ
④ ㄱ, ㄷ      ⑤ ㄴ, ㄷ

**Hint** 먹을 수 있는 식물과 먹을 수 없는 식물은 사람의 이용 목적에 따른 인위 분류이다.

## 1-3

다음은 생물을 분류 기준에 따라 분류한 결과를 나타낸 것이다.

| (가) | • 먹을 수 있는 식물: 토마토, 오이<br>• 약으로 쓰이는 식물: 쑥, 엉겅퀴 |
| --- | --- |
| (나) | • 새끼를 낳는 동물: 고양이, 사자<br>• 알을 낳는 동물: 나비, 달팽이 |

이에 대한 설명으로 옳은 것은?

① (가)의 분류 기준은 서식지이다.
② (가)는 자연 분류의 기준으로 분류한 것이다.
③ (나)는 인위 분류의 기준으로 분류한 것이다.
④ (나)는 주관적이어서 과학적 분류라고 할 수 없다.
⑤ (나)는 생물 사이의 멀고 가까운 관계를 쉽게 알 수 있다.

**문제 해결 Point**

가이드   자연 분류는 생물을 생김새와 속 구조, 생식 방법, 생활사 등 생물 본래의 **자연적인 특징**에 따라 분류하는 방법이다.

해결 Point   생물의 서식지나 이용 목적, 식성에 따른 분류는 인위 분류에 해당하며, 사람에 따라 기준이 달라질 수 있어 객관적이라고 할 수 없다.

오개념 주의   서식지에 따라서는 수중 동물, 육상 동물 등으로 분류할 수 있다.

**대표 기출문제** 주제2 종

## 2-1

생물학적 종에 대한 설명으로 옳은 것을 보기 에서 모두 고른 것은?

보기
- ㄱ. 진돗개와 몰티즈는 같은 종이다.
- ㄴ. 생물을 분류할 때 기본이 되는 단위이다.
- ㄷ. 자연 상태에서 교배하여 생식 능력이 있는 자손을 얻을 수 있는 생물 무리이다.

① ㄱ          ② ㄷ
③ ㄱ, ㄴ       ④ ㄴ, ㄷ
⑤ ㄱ, ㄴ, ㄷ

### 문제 해결 Point

가이드    종은 생물을 분류할 때 **가장 기본이 되는 단위**가 된다.

해결 Point   생물학적 종은 생김새와 생활 방식이 유사하고 자연 상태에서 교배하여 생식 능력이 있는 자손을 얻을 수 있는 생물 무리이다.

## 2-2

생물의 종에 대한 설명으로 옳지 <u>않은</u> 것을 모두 고르면? (정답 2개)

① 생물을 분류하는 기본 단위이다.
② 생김새가 비슷하고 서식지가 같으면 같은 종이다.
③ 수탕나귀와 암말 사이에서 노새가 태어나므로 같은 종이다.
④ 종은 형태적 유사성보다는 생식적 관점의 일치성이 더 중요하다.
⑤ 자연 상태에서 교배하여 생식 능력이 있는 자손을 얻을 수 있으면 같은 종이다.

**Hint** 노새는 자손을 번식시킬 수 있는 생식 능력이 없다.

## 2-3

수사자와 암호랑이가 교배하여 태어난 자손을 라이거라고 부르지만, 수사자와 암호랑이를 같은 종이라고 하지 않는다. 그 까닭으로 옳은 것을 보기 에서 모두 고른 것은?

보기
- ㄱ. 라이거는 생식 능력을 가지고 있지 않다.
- ㄴ. 수사자와 암호랑이는 크기나 생김새가 많이 다르다.
- ㄷ. 수사자와 암호랑이는 생태계에서 먹이 사슬의 위치가 다르다.

① ㄱ        ② ㄴ        ③ ㄷ
④ ㄱ, ㄴ      ⑤ ㄴ, ㄷ

**01** 그림 (가)는 물체가 빗면을 따라 미끄러져 내려가는 순간이고, (나)는 빗면을 따라 물체를 위로 끌어올리는 모습을 나타낸 것이다.

마찰력의 방향 ▶ p.96

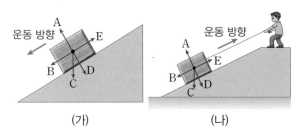

(가)                          (나)

(가), (나)에서 물체에 작용하는 마찰력의 방향을 옳게 짝 지은 것은?

|  | (가) | (나) |  | (가) | (나) |
|---|---|---|---|---|---|
| ① | B | E | ② | E | B |
| ③ | B | B | ④ | D | D |
| ⑤ | E | E |  |  |  |

**02** 그림과 같이 용수철저울에 추를 매달고 추에 작용하는 부력의 크기를 측정하였다. A~C 중에서 (가) 용수철저울의 눈금이 가장 큰 경우, (나) 추가 밀어낸 물의 무게가 가장 큰 경우, (다) 추에 작용하는 부력의 크기가 가장 큰 경우를 옳게 짝 지은 것은?

부력의 크기 측정 ▶ p.104

|  | (가) | (나) | (다) |
|---|---|---|---|
| ① | A | B | C |
| ② | C | B | A |
| ③ | A | C | B |
| ④ | A | C | C |
| ⑤ | C | C | A |

**03** 부력을 이용하는 예가 아닌 것은?

부력의 이용 ▶ p.102

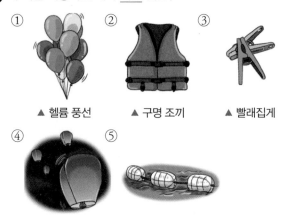

① ▲ 헬륨 풍선  ② ▲ 구명 조끼  ③ ▲ 빨래집게  ④ ▲ 풍등  ⑤ ▲ 부표

**04** 그림은 아크릴판 두 개의 경사면에 같은 나무 도막을 올려 놓고 경사면의 한쪽 끝을 들어 올릴 때 나무 도막이 미끄러지는 순간을 나타낸 것이다.

접촉면과 마찰력의 크기 ▶ p.96

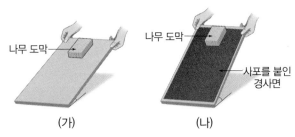

나무 도막

나무 도막

사포를 붙인 경사면

(가)                          (나)

(1) (가), (나) 중 기울기가 큰 경사면을 쓰시오.

(2) (가), (나) 중 접촉면의 거칠기가 더 큰 경사면을 쓰시오.

(3) (가), (나) 중, 미끄러지는 순간, 마찰력의 크기가 큰 경사면을 쓰시오.

**05** 그림과 같이 질량과 부피가 같은 추 2개를 수평 막대 양쪽 끝에 매달고 B쪽 컵에만 물을 부었을 때 기울어지는 쪽을 쓰고, 그 까닭을 다음 용어를 포함하여 서술하시오.

부력의 작용 ▶ p.102

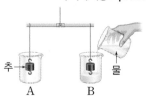

추        물
A        B

| 중력, | 부력, | 무게 |
|---|---|---|

생물 다양성 ▶ p. 108

**06** 생물 다양성에 대한 설명으로 옳지 <u>않은</u> 것은?

① 생물 다양성이 높아지면 생물종 수는 줄어든다.

② 특정 지역에 사는 생물의 다양한 정도를 말한다.

③ 생물종 사이의 유전자가 다양하면 생물 다양성이 높아진다.

④ 갯벌은 육상 생태계와 수중 생태계를 연결하여 완충 역할을 한다.

⑤ 생물 다양성은 생태계 다양성, 종 다양성, 유전자 다양성을 모두 포함한다.

변이 ▶ p. 116

**07** 변이와 관련된 현상으로 옳은 것을 [보기]에서 모두 고른 것은?

> [보기]
> ㄱ. 장미와 국화의 꽃잎 모양이 다르다.
> ㄴ. 북극여우에 비해 사막여우는 귀가 크고 몸집이 작아 열을 쉽게 방출한다.
> ㄷ. 물살이 센 곳에 서식하는 소라는 껍데기에 뿔이 발달하고, 물살이 약한 곳에 서식하는 소라는 껍데기에 뿔이 없다.

① ㄱ      ② ㄴ      ③ ㄷ

④ ㄱ, ㄴ      ⑤ ㄴ, ㄷ

변이 ▶ p. 116

**08** 변이의 예로 적절하지 <u>않은</u> 것은?

① 얼룩말의 털 무늬가 서로 다르다.

② 강아지의 털 색깔과 무늬가 서로 다르다.

③ 달팽이 껍데기의 색깔과 무늬가 서로 다르다.

④ 고양이와 스라소니의 신체 구조가 비슷하다.

⑤ 무당벌레의 겉날개 색깔과 무늬가 서로 다르다.

환경에 따라 다양한 생물 ▶ p. 114

**09** 그림은 북극여우와 사막여우를 나타낸 것이다.

▲ 북극 여우      ▲ 사막 여우

서식하는 지역에 따라 여우의 모습이 다른 까닭을 다음 단어를 포함하여 서술하시오.

> 몸,    말단,    열

종 ▶ p. 122

**10** 그림은 수탕나귀와 암말이 짝짓기하여 태어난 노새를 나타낸 것이다.

수탕나귀      암말

노새

이에 대한 설명으로 옳은 것을 [보기]에서 모두 고른 것은?

> [보기]
> ㄱ. 당나귀와 말은 같은 종이다.
> ㄴ. 수탕나귀와 암말을 짝짓기하면 생식 능력이 없는 노새가 태어난다.
> ㄷ. 진돗개와 풍산개 사이에서 태어난 새끼도 노새와 같은 경우이다.

① ㄱ      ② ㄴ      ③ ㄷ

④ ㄱ, ㄴ      ⑤ ㄴ, ㄷ

**3**
주

✏️ 3주에 배운 개념을 그림으로 저장

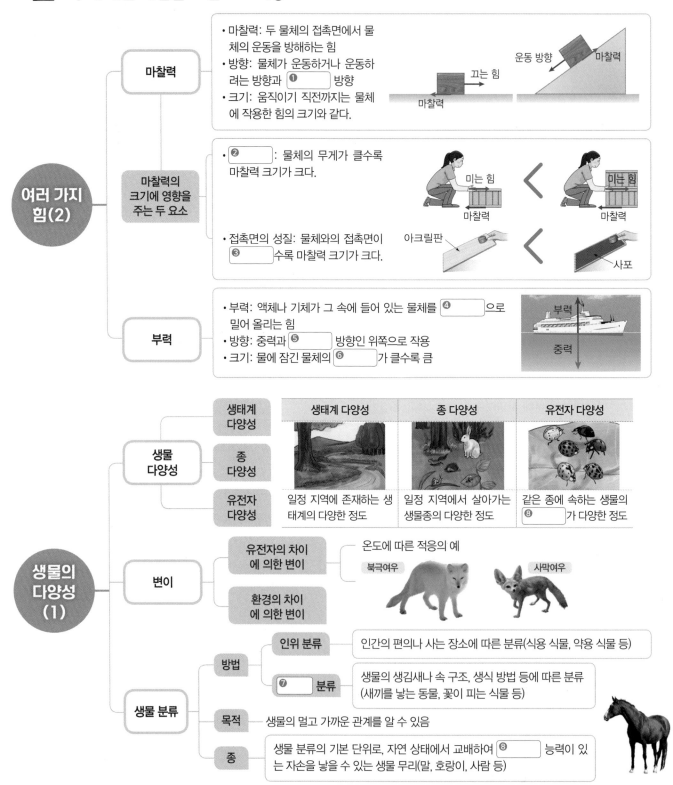

**여러 가지 힘(2)**

**마찰력**
- 마찰력: 두 물체의 접촉면에서 물체의 운동을 방해하는 힘
- 방향: 물체가 운동하거나 운동하려는 방향과 ❶ [　] 방향
- 크기: 움직이기 직전까지는 물체에 작용한 힘의 크기와 같다.

운동 방향　마찰력
끄는 힘
마찰력

**마찰력의 크기에 영향을 주는 두 요소**
- ❷ [　]: 물체의 무게가 클수록 마찰력 크기가 크다.
- 접촉면의 성질: 물체와의 접촉면이 ❸ [　]수록 마찰력 크기가 크다.

미는 힘
마찰력
미는 힘
마찰력

아크릴판
사포

**부력**
- 부력: 액체나 기체가 그 속에 들어 있는 물체를 ❹ [　]으로 밀어 올리는 힘
- 방향: 중력과 ❺ [　] 방향인 위쪽으로 작용
- 크기: 물에 잠긴 물체의 ❻ [　]가 클수록 큼

부력
중력

**생물의 다양성(1)**

**생물 다양성**
- 생태계 다양성
- 종 다양성
- 유전자 다양성

| 생태계 다양성 | 종 다양성 | 유전자 다양성 |
|---|---|---|
| 일정 지역에 존재하는 생태계의 다양한 정도 | 일정 지역에서 살아가는 생물종의 다양한 정도 | 같은 종에 속하는 생물의 ❽ [　]가 다양한 정도 |

**변이**
- 유전자의 차이에 의한 변이
- 환경의 차이에 의한 변이

온도에 따른 적응의 예
북극여우　사막여우

**생물 분류**
- 방법
  - 인위 분류: 인간의 편의나 사는 장소에 따른 분류(식용 식물, 약용 식물 등)
  - ❼ [　] 분류: 생물의 생김새나 속 구조, 생식 방법 등에 따른 분류(새끼를 낳는 동물, 꽃이 피는 식물 등)
- 목적: 생물의 멀고 가까운 관계를 알 수 있음
- 종: 생물 분류의 기본 단위로, 자연 상태에서 교배하여 ❽ [　] 능력이 있는 자손을 낳을 수 있는 생물 무리(말, 호랑이, 사람 등)

답 ❶반대 ❷무게 ❸거칠 ❹위쪽 ❺반대 ❻부피 ❼자연 ❽생식

## ✏️ 재미있는 개념 완성 퀴즈

숲속에 갇힌 공주는 주어진 과학 문제를 풀어야 무서운 동물이 숨어 있는 미로를 벗어나 성으로 도착할 수 있어요. 자! 공주가 성으로 안전하게 갈 수 있도록 문제를 풀어 보세요.

❶ 마찰력은 운동을 방해하는 힘이다.

❷ 마찰력은 무게가 클수록 크다.

❸ 부력의 방향은 항상 중력과 같다.

❺ 초식 동물과 육식 동물은 인위 분류에 해당한다.

❻ 생물 분류 체계에서 '목'이 같으면 '강'도 같다.

❹ 부력은 중력과 반대인 위로 밀어 올리는 힘이다.

❼ 짚신벌레는 원핵생물계로 분류한다.

❽ 균계는 광합성을 통해 양분을 합성한다.

❾ 종은 생물을 분류하는 가장 기본이 되는 단위이다.

❿ 생태 통로는 야생 동물이 이동하는 통로이다.

답 ❶ ○ ❷ × ❸ × ❹ ○ ❺ ○ ❻ ○ ❼ × ❽ × ❾ ○ ❿ ○

과학의 다양한 유형 문제를 해결하는 방법을 연습하면서 사고력을 기르자.

**1** 다음은 마찰력의 특징을 알아보는 실험 과정과 결과를 나타낸 것이다. ( ) 안에서 알맞은 말을 고르시오.

|실험 과정|

(가) 책상 위에 책을 놓고 용수철저울을 이용하여 천천히 당기면서 책이 움직이기 시작할 때 용수철저울의 눈금을 읽는다.

(나) 책을 한 권 더 올려놓고 (가)를 반복한다.

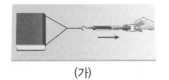
(가)

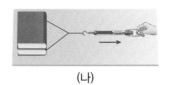
(나)

|실험 결과|

| 책의 권수(권) | 1 | 2 |
| --- | --- | --- |
| 용수철저울의 눈금(N) | 5 | 10 |

(1) 용수철저울의 눈금은 ( 책의 움직임을 방해하는 힘 / 책에 작용하는 중력 )의 크기를 나타낸다.

(2) 책이 움직이기 시작할 때 용수철저울의 눈금은 책의 ( 무게 / 부피 )가 클수록 커진다.

(3) 책에 작용하는 마찰력의 크기는 ( 무게 / 부피 )에 비례한다.

● 문제 해결 Tip ─
마찰력은 운동을 방해하는 힘으로, 물체를 당겼을 때 움직이기 직전 용수철저울의 눈금에 나타난 힘과 운동을 방해하는 힘, 즉 마찰력의 크기가 같아.

**2** 그림과 같이 널빤지의 긴 면을 세 칸으로 나누고 두 칸에 각각 사포와 아크릴을 붙인 후 각 칸에 같은 블록을 같은 높이에 올려놓고 미끄러지는 모습을 관찰하였다. 이에 대한 학생들의 대화 중 옳게 말하고 있는 사람을 모두 쓰시오.(단, 블록이 미끄러지는 순간의 기울기는 사포>나무>아크릴 순이다.)

● 문제 해결 Tip ─
빗면의 기울기가 같으면 물체가 면을 누르는 힘의 크기는 같으므로 마찰력의 크기는 접촉면이 거칠수록 커.

블록이 미끄러짐을 방해하는 힘은 마찰력이야. — 유미

미끄러지는 순간의 기울기가 클수록 마찰력의 크기가 작아. — 은수

마찰력의 크기가 가장 큰 면은 사포를 붙인 면이야. — 윤정

**3** 용수철저울을 사용하여 물속의 물체에 작용하는 힘의 크기를 알아보는 실험 과정 과 결과를 나타낸 것이다. ( ) 안에서 알맞은 말을 고르시오.

|실험 과정|
(가) 눈금실린더에 물 200 mL를 채워 놓은 후, 추 2개를 용수 철저울에 매달아 무게를 측정한다.
(나) 추 1개만 물에 잠기게 한 후 용수철저울의 눈금과 눈금실 린더의 눈금을 측정한다.
(다) 추 2개를 모두 물에 잠기게 한 후 각각의 눈금을 측정한다.

|실험 결과|

| 구분 | 공기 중 | 추 1개가 물에 잠겼을 때 | 추 2개가 물에 잠겼을 때 |
|---|---|---|---|
| 용수철저울의 눈금(N) | 4 | 3.70 | 3.41 |
| 눈금실린더의 눈금(mL) | 200 | 225.0 | 250.0 |

(1) 물에 잠긴 추의 부피가 커질수록 용수철저울의 눈금은 ( 커 / 작아 )진다.
(2) 물에 잠긴 추의 개수가 커질수록 물을 밀어낸 부피가 ( 커 / 작아 )진다.
(3) 물속에서 추가 밀어낸 물의 양이 많을수록 용수철저울의 눈금은 ( 커 / 작아 )진다.
(4) 용수철저울 눈금이 작아질수록 물이 물체를 밀어 올리는 부력은 ( 커 / 작아 )진다.
(5) 물체에 작용하는 부력은 물에 잠긴 물체의 ( 부피 / 무게 )가 클수록 커진다.

● 문제 해결 Tip
물체를 물에 잠기게 할 때 물에 잠긴 부피가 클수록 물이 물체를 밀어 올리는 힘, 즉 부력이 커져.

**4** 그림은 마찰력과 부력의 특징을 구분하기 위한 것이다. (가), (나)에 해당하는 힘을 쓰시오.

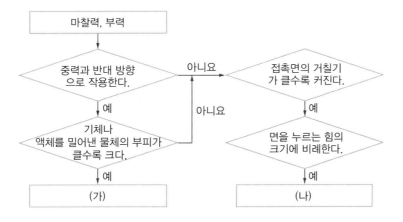

● 문제 해결 Tip
마찰력의 크기에 영향을 주는 요인은 면을 누르는 힘의 크기와 접촉면의 거 칠기이고, 부력은 중력과 반대 방향으로 작용하며 물에 잠긴 물체의 부피에 따라 크기가 달라져.

**5** 그림은 물살이 센 곳에 사는 소라와 물살이 세지 않은 곳에 사는 소라를 나타낸 것이다.

(가) 물살이 센 곳의 소라　　　(나) 물살이 약한 곳의 소라

물살이 센 곳의 소라와 물살이 약한 곳의 소라의 겉모습이 다른 까닭을 소라가 사는 곳의 환경과 관련지어 서술하시오.

● 문제 해결 **Tip**

소라의 겉모습을 보고 소라가 사는 환경을 알아보는 문제야.
물살이 센 곳에서는 소라가 쉽게 떠내려가므로 바닥에 고정할 수 있는 형태로 발달되었을 거야.

**6** 그림은 세 학생이 생물 다양성에 대해 이야기 하는 모습을 나타낸 것이다.

습지, 사막, 숲 등 생태계가 다양할수록 생태계 다양성이 높아. (준수)

일정 지역에서 살아가는 생물종이 많을수록 종 다양성이 높아. (은진)

같은 종에 속하는 생물의 생김새와 특징이 같을수록 유전자 다양성이 높아. (민석)

옳지 <u>않게</u> 말한 사람의 이름을 쓰고, 그 내용을 옳게 고치시오.

● 문제 해결 **Tip**

생물 다양성은 생태계 다양성, 종 다양성, 유전자 다양성을 모두 포함해.
일정 지역에 존재하는 생태계가 다양할수록, 일정 지역에 생물종이 다양할수록, 같은 종에 속하는 생물의 크기와 생김새 등 특징이 다양할수록 생물 다양성이 높아.

**7** 그림은 가상의 생물을 나타낸 것이다.

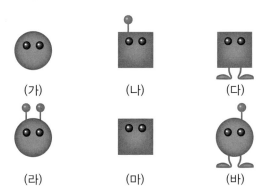

(1) 생물을 (가), (다), (마)와 (나), (라), (바)로 분류할 경우 분류 기준을 쓰시오.

(2) (1)과 같이 생물을 고유의 특징으로 분류할 때 좋은 점을 서술하시오.

**문제 해결 Tip**
생물을 몸의 형태나 구조로 분류하는 것은 자연 분류에 해당해.

**8** 그림은 숫사자와 암호랑이 사이에서 태어난 '라이거'를 나타낸 것이다. 라이거는 자연 상태에서 태어날 수 없으며, 생식 능력을 가지고 있지 않다.

(1) 이를 통해 사자와 호랑이가 같은 종이 될 수 있는지의 여부와 그 까닭을 서술하시오.

(2) 생물학적 종의 정의를 다음 단어를 포함하여 서술하시오.

| 짝짓기(교배) | 생식 능력 | 자손 | 자연 상태 |
| --- | --- | --- | --- |

**문제 해결 Tip**
종은 생물을 분류할 때 가장 기본이 되는 단위야. 같은 종에서 태어난 자손은 생식 능력이 있어.

**배울 내용**

# 4주에는 무엇을 공부할까? ❷

## ● 생물의 분류

**짚신벌레**

**해캄**

**대장균**

**Quiz 1**
짚신벌레나 해캄은
( 원생생물 / 동물 )에 해당한다.

**Quiz 2**
대장균은 세균에 속한다.
( ○ / × )

## ● 생물 다양성의 중요성

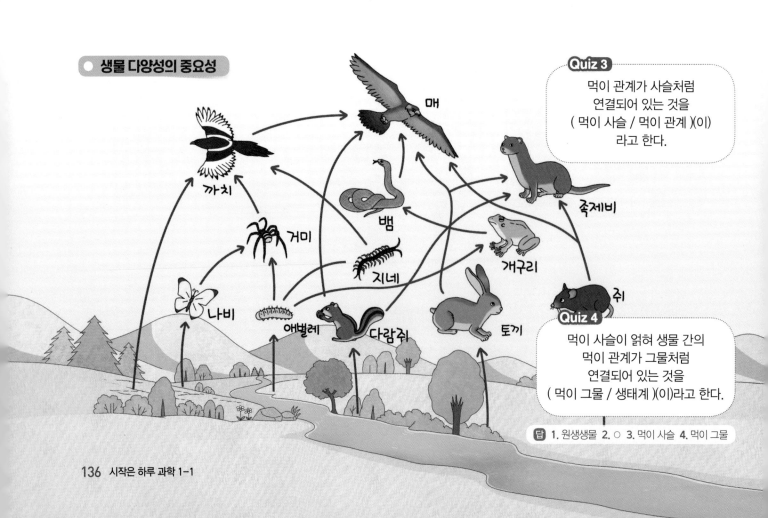

**까치** **매** **족제비** **거미** **뱀** **지네** **개구리** **나비** **애벌레** **다람쥐** **토끼** **쥐**

**Quiz 3**
먹이 관계가 사슬처럼
연결되어 있는 것을
( 먹이 사슬 / 먹이 관계 )(이)
라고 한다.

**Quiz 4**
먹이 사슬이 얽혀 생물 간의
먹이 관계가 그물처럼
연결되어 있는 것을
( 먹이 그물 / 생태계 )(이)라고 한다.

답 1. 원생생물 2. ○ 3. 먹이 사슬 4. 먹이 그물

## 물의 증발

이상하다~ 어제는 분명 물 높이가 높았는데?

이틀 후

**Quiz 5**
물 표면에서 물 입자가 기체로 변하여 공기 중으로 날아가는 ( 증발 / 확산 ) 현상이 일어났기 때문에 물 높이가 낮아진 거야.

## 압력에 따른 기체의 부피 변화

공기 방울이 물 표면으로 올라갈수록 크기가 더 커지네! 왜 그런 걸까?

**Quiz 6**
그건 공기 방울이 물 표면으로 올라갈수록 주위의 압력이 ( 낮아져 / 높아져 ) 공기의 부피가 커지기 때문이야.

답 5. 증발 6. 낮아져

# 1일 주변의 다양한 생물 분류하기

주제 1 | 생물의 분류 단계

하나의 계에 속하는 생물 무리 가운데 공통적인 특징을 가진 생물을 조금 더 작은 단위로 나누어 문으로 분류한다. 이와 같은 방법으로 점차 작은 단위인 강, 목, 과, 속, 종으로 분류한다.

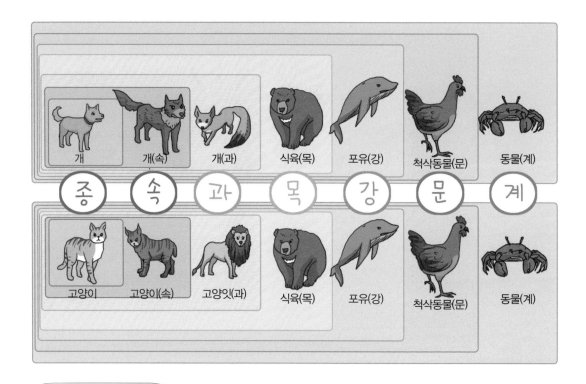

주변의 수많은 생물들은 "계-문-강-목-과-속-종"으로 세분화해서 분류할 수 있어. 가장 큰 분류 단계가 "계"이고, 가장 작은 분류 단계가 "종"이야.

개와 고양이는 모두 동물이지만, 7단계로 분류하면 이렇게 차이가 나게 되지.

중요 개념

● **생물의 분류**  하나의 *계에 속하는 생물 무리 가운데 공통적인 특징을 가진 생물을 조금 더 작은 단위로 나누어 분류
● **생물의 분류 단계(7단계)**

❶( ㄱ ) - 문 - 강 - 목 - 과 - 속 - ❷( ㅈ )

가장 큰 분류 단계 → 가장 작은 분류 단계

Tip

**생물의 분류 단계**
➡ 생물은 계, 문, 강, 목, 과, 속, 종의 7단계로 분류한다.

답 ❶ 계 ❷ 종

# 개념 원리 확인

## 1-1

생물의 분류 단계에 대한 설명으로 옳은 것은 ○표, 옳지 않은 것은 ×표를 하시오.

(1) 여러 문이 모여 계를 이룬다. ( )

(2) 같은 과에 속하면 같은 속에 속한다. ( )

(3) 하나의 강에는 여러 개의 목이 포함된다. ( )

(4) 가장 작은 분류 단계는 종이다. ( )

계에서 종의 단계로 내려갈수록 분류 기준은 좀 더 세분화되고 그 범위가 좁아져.

## 1-2

다음은 생물의 분류 단계를 큰 단위부터 작은 단위로 나타낸 것이다. 빈칸에 알맞은 분류 단계를 쓰시오.

> 계 → ㉠( ) → 강 → ㉡( ) → 과 → 속 → ㉢( )

## 1-3

그림은 진돗개를 생물의 분류 단계에 따라 분류한 것이다. (가), (나), (다)에 해당하는 분류 단계를 각각 쓰시오.

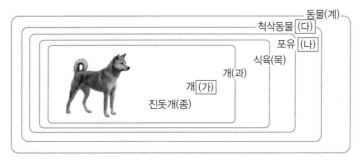

(1) (가)의 분류 단계: ( )

(2) (나)의 분류 단계: ( )

(3) (다)의 분류 단계: ( )

용어 풀이

＊ 계(界 경계): 생물을 분류하는 가장 큰 단위

# 주변의 다양한 생물 분류하기

**생물의 5계**

다양한 생물종을 비교하여 일정한 분류 기준에 따라 서로 비슷한 특징을 지닌 것끼리 무리지은 것으로 원핵생물계, 원생생물계, 식물계, 균계, 동물계의 5가지 계로 분류한다.

모든 생물은 원핵생물계, 원생생물계, 식물계, 균계, 동물계의 5계로 분류할 수 있어.

**균계**
• 동식물의 사체를 분해하여 양분을 섭취함
• 대부분 몸이 균사로 이루어짐

**동물계**
• 다른 생물을 먹이로 함
• 운동 기관, 소화 기관 등이 발달함

**식물계**
• 다세포 생물이며, 광합성을 함
• 뿌리, 줄기, 잎이 발달함

**원생생물계**
• 세포에 핵이 있음
• 조직, 기관이 발달하지 않음

**원핵생물계**
• 세포에 핵이 없음

식물계 · 고사리 · 민들레
균계 · 버섯 · 효모
동물계 · 장수풍뎅이 · 닭
원생생물계 · 짚신벌레 · 아메바 · 다시마
원핵생물계 · 대장균 · 젖산균 · 헬리코박터파일로리균
핵막 유무

---

**중요 개념**

● **생물의 5계** 다양한 생물종을 *원핵생물계, 원생생물계, 식물계, ❶(ㄱㄱ), 동물계의 5가지 계로 분류함
● **5계의 분류 기준** 핵막의 유무, 엽록체의 유무, 균사의 유무, ❷(ㄱㄱ)의 발달 정도 등이 중요한 분류 기준이 됨
● **원핵생물과 진핵생물** 세포 안에 핵막으로 둘러싸인 ❸(ㅎ)이 있는지 없는지에 따라 원핵생물과 진핵생물로 구분함 ⑩ 원핵생물(세균), 진핵생물(세균 종류를 제외한 대부분의 생물)

**Tip**

**생물의 5계**
➡ 생물은 원핵생물계, 원생생물계, 식물계, 균계, 동물계의 5가지 계로 분류한다.

답 ❶ 균계 ❷ 기관 ❸ 핵

# 개념 원리 확인

## 2-1

생물의 5계에 대한 설명으로 옳은 것은 ○표, 옳지 않은 것은 × 표를 하시오.

(1) 생물은 원핵생물계, 원생생물계, 식물계, 균계, 동물계로 나눌 수 있다. ( )

(2) 세포에서 핵막으로 둘러싸인 핵이 없는 생물 무리를 원생생물계라고 한다. ( )

(3) 균계는 대부분 몸이 가는 실 모양의 균사로 이루어져 있다. ( )

(4) 미역은 광합성을 하여 스스로 양분을 만들므로 식물계에 속한다. ( )

## 2-2

균계는 대부분 죽은 생물이나 배설물을 분해해서 영양분을 얻어.

생물의 5계 중 균계의 특징에 해당하는 것을 보기 에서 모두 고르시오. ( )

보기

ㄱ. 핵막과 세포벽이 있다.

ㄴ. 버섯, 곰팡이, 효모가 여기에 속한다.

ㄷ. 광합성을 하여 양분을 스스로 합성한다.

## 2-3

핵막이 있는 세포를 진핵 세포라고 하지.

그림은 어떤 생물 무리를 나타낸 것이다.

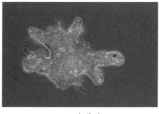
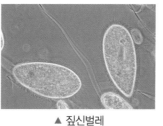

▲ 아메바　　　　　▲ 짚신벌레　　　　　▲ 다시마

이 생물들은 생물의 5계 중 어떤 생물 무리에 속하는지 쓰시오. ( )

용어 풀이

＊**원핵**(原 근원, 核 씨): 핵막이 없어 핵을 구성하는 물질이 세포질에 퍼져 있는 상태

**대표 기출문제** | 주제 1 | 생물의 분류 단계

## 1-1

그림은 두 속에 포함되는 식물 종 A ~ D를 나타낸 것이다.

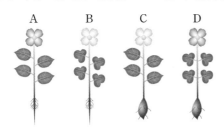

A, B, C가 같은 속이고 D는 다른 속일 때 두 속을 구분할 수 있는 분류 기준은?

① 꽃잎의 색깔
② 잎의 개수
③ 잎의 형태
④ 뿌리의 형태
⑤ 잎의 배열 상태

## 1-2

다음은 세 학생이 생물의 분류에 대해 이야기를 나눈 것이다.

> • 은서: 생물은 계, 문, 강, 목, 과, 속, 종의 7단계로 분류할 수 있어.
> • 민희: 모양이 비슷하고 서식지가 같으면 같은 종이지.
> • 다희: 계는 가장 큰 분류 단계이고, 종으로 갈수록 세부적으로 나누어져.

옳게 말한 학생을 모두 고른 것은?

① 은서
② 민희
③ 다희
④ 은서, 다희
⑤ 민희, 다희

**Hint** 생물학적 종은 생김새와 생활 방식이 유사하고 자연 상태에서 교배하여 생식 능력이 있는 자손을 얻을 수 있는 생물 무리이다.

## 1-3

표는 고양이를 7단계로 분류한 것이다.

| 분류 단계 | 계 | 문 | 강 | 목 | 과 | (가) | (나) |
|---|---|---|---|---|---|---|---|
| 예 | (다) | 척삭동물문 | 포유강 | 식육목 | 고양잇과 | 고양이속 | 고양이 |

이에 대한 설명으로 옳은 것을 보기 에서 모두 고른 것은?

> **보기**
> ㄱ. (가)는 속이다.
> ㄴ. (나)는 자연 상태에서 교배하여 생식 능력이 있는 자손을 얻을 수 있다.
> ㄷ. (다)는 핵막이 없고, 세포벽이 있다.

① ㄱ
② ㄴ
③ ㄱ, ㄴ
④ ㄴ, ㄷ
⑤ ㄱ, ㄴ, ㄷ

---

**문제 해결 Point**

| 가이드 | 생물을 분류할 때 생물 무리 가운데 공통적인 특징을 찾는다. |
|---|---|
| 해결 Point | A, B, C는 잎이 어긋나게 배열되어 있고, D는 잎이 마주보게 배열되어 있다. |
| 오개념 주의 | A, B, C와 D는 꽃잎의 색깔, 잎의 개수, 잎의 형태, 뿌리의 형태로 구분할 수 없다. |

## 대표 기출문제 · 주제 **2** 생물의 5계

### 2-1

그림은 생물을 5계로 분류하여 나타낸 것이다.

이에 대한 설명으로 옳은 것을 보기 에서 모두 고른 것은?

보기

ㄱ. (가)는 광합성을 합성할 수 있다.

ㄴ. (나)는 조직이나 기관이 발달하고, 원핵 세포로 이루어져 있다.

ㄷ. (다)는 세포에 막으로 둘러싸인 핵이 없고, 세포벽이 있다.

① ㄱ          ② ㄴ

③ ㄱ, ㄷ       ④ ㄴ, ㄷ

⑤ ㄱ, ㄴ, ㄷ

### 문제 해결 Point

가이드 | 생물을 5계로 분류하는 데에는 핵막의 유무, 엽록체의 유무, 균사의 유무, 기관의 발달 정도 등이 중요한 분류 기준이 된다.

해결 Point | 식물계는 핵막이 있고, 세포벽이 있으며, 엽록체가 있어 광합성을 할 수 있다. 원생생물계는 핵이 있고, 대부분 단세포 생물이지만 다세포 생물도 있으며, 기관이 발달하지 않았다. 원핵생물계는 핵막이 없고, 단세포 생물이며, 세포에 세포벽이 있다.

오개념 주의 | 원생생물계는 기관이 발달되어 있지 않으며, 광합성을 하는 생물도 있고, 광합성을 하지 않는 생물도 있다.

### 2-2

그림은 서로 다른 계에 속하는 생물들을 나타낸 것이다.

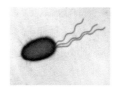  

▲ 대장균        ▲ 고사리        ▲ 표고버섯

각 생물이 속하는 계를 옳게 짝 지은 것은?

| | 대장균 | 고사리 | 표고버섯 |
|---|---|---|---|
| ① | 균계 | 식물계 | 원생생물계 |
| ② | 균계 | 원생생물계 | 식물계 |
| ③ | 동물계 | 식물계 | 균계 |
| ④ | 원핵생물계 | 균계 | 식물계 |
| ⑤ | 원핵생물계 | 식물계 | 균계 |

**Hint** 대장균은 핵막이 없으며, 고사리는 세포벽이 있고 광합성을 하며, 표고버섯은 균사로 이루어져 있다.

### 2-3

다음은 생물의 특징을 설명한 것이다.

• 세포에 핵이 있으며, 세포벽이 있는 생물도 있고 없는 생물도 있다.

• 조직이나 기관이 제대로 발달하지 않았다.

• 아메바처럼 먹이를 섭취하는 생물도 있고, 미역처럼 광합성을 하는 생물도 있다.

이에 대한 생물의 5계로 옳은 것은?

① 균계       ② 식물계       ③ 동물계

④ 원핵생물계       ⑤ 원생생물계

## 주 2일 생물 다양성의 중요성과 보전

### 주제 1  생물 다양성의 중요성

생물 다양성은 인간에게 유용한 생물 자원을 제공하고, 도구를 발명하는 원천이 되며, 지구의 환경을 유지 및 보전하는 데 매우 중요하다. 또한, 생물 다양성이 높은 생태계는 어떤 생물이 사라져도 생태계가 안정적으로 유지될 수 있다.

목재, 의약품 등 인간의 생존에 필요한 자원을 얻음

생물 다양성이 높은 생태계는 인간에게 다양한 자원을 제공해줘.

벼, 밀 등은 중요한 식량 자원임

깨끗한 물과 맑은 공기 등 쾌적한 환경이 만들어짐

벨크로

생물의 특징을 이용하여 유용한 제품을 개발함

### 중요 개념

● 생물*다양성의 중요성
(1) 생물 자원 제공: ❶( ㅅㄹ ) 자원, 의약품 원료, 공산품 원료 등
(2) 도구 발명의 원천: 벨크로, 소형 비행기 등
(3) 생태계 유지: 먹이 사슬이 복잡하고 생물 다양성이 높은 생태계가 안정적으로 유지됨
(4) 지구 환경의 유지 및 보전: 대기 중 ❷( ㅇㅅㅎ ) 탄소 흡수, 산소 배출, 동물의 서식지 제공, 생물의 사체 분해 등

**Tip**

**생물 다양성**
➡ 생물에게 식량 자원을 제공하고, 대기 중 이산화 탄소를 흡수하고 산소를 배출한다.

답 ❶ 식량 ❷ 이산화

# 개념 원리 확인

○정답과 해설 26쪽

## 1-1

생물 다양성의 중요성에 대한 설명으로 옳은 것은 ○표, 옳지 않은 것은 ×표를 하시오.

(1) 생물은 식량 자원, 의약품 원료 등 인간의 생존에 필요한 자원을 제공한다. ( )

(2) 생물의 생김새 및 특성을 이용하여 유용한 도구를 개발한다. ( )

(3) 생물 다양성이 낮을수록 안정된 생태계이다. ( )

인류는 생물의 생김새나 생활 모습에서 아이디어를 얻어 유용한 도구를 개발했어.

## 1-2

그림은 도꼬마리 열매를 나타낸 것이다. 도꼬마리 열매는 갈고리 같은 돌기가 있어서 다른 물체에 잘 붙는다. 이러한 특성을 이용한 벨크로는 가방, 신발 등 생활용품 전반에 사용된다. 이와 관련된 생명 다양성의 중요성을 보기 에서 모두 고르시오. ( )

> 보기
>
> ㄱ. 생태계 유지
> ㄴ. 생물 자원 제공
> ㄷ. 도구 발명의 원천
> ㄹ. 지구 환경의 유지 및 보전

4
주

2일

## 1-3

그림과 같은 생태계의 먹이 사슬을 보고 은서와 예나가 나눈 대화를 나타낸 것이다.

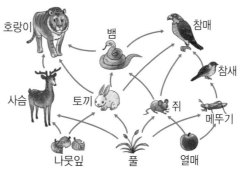

호랑이  뱀  참매
사슴  토끼  쥐  참새
나뭇잎  풀  메뚜기  열매

생물 다양성이 높은 생태계는 어떤 생물이 사라져도 안정적으로 유지돼.

> • 은서: 쥐가 사라지면 뱀은 생존할 수 없지만, 참매는 토끼나 참새, 뱀을 잡아먹고 살 수 있어.
> • 예나: 먹이 사슬이 복잡한 생태계는 어떤 생물이 사라져도 대체하는 생물이 있어 안정적으로 유지될 수 있어.

용어 풀이

＊다양성(多 많을, 樣 모양, 性 성품): 모양, 빛깔, 형태, 양식 따위가 여러 가지로 많은 특성

은서와 예나 중 옳지 <u>않게</u> 말한 사람을 쓰시오. ( )

# 2일 생물 다양성의 중요성과 보전

**주제 2** 생물 다양성의 위기와 보전

생물 다양성을 감소시키는 원인으로는 서식지 파괴, 외래종 유입, 불법 포획과 남획, 환경 오염 등을 들 수 있다. 따라서 생물 다양성을 보전하기 위해 개인적, 사회적, 국가적, 국제적 노력이 시행되어야 할 것이다.

**생물 다양성의 위기**

**무분별한 자연 개발**
야생 동식물의 서식지를 파괴하여 종 다양성을 급격히 감소시킴

**환경 오염**
환경 오염에 민감한 생물들의 개체수가 급격히 감소함

**외래종 유입**
대체로 천적이 없어 급격히 번식하므로 생태계가 교란될 수 있음

**생물 다양성의 보전**

**개인적 노력**
정원에 채소를 기르거나 자원을 재활용하여 폐기물 발생량을 줄임

**국가적 노력**
국립 공원, 습지 보호 지역 등을 지정하여 자연 훼손을 방지함

**국제적 노력**
국제 협약(람사르 협약, 생물 다양성 협약 등)을 맺고 이행하려고 노력함

**중요 개념**

● 생물 다양성을 감소시키는 원인  ❶( ㅅㅅㅈ ) 파괴, 외래종 유입, 불법 포획과 *남획, 환경 오염 등
● 생물 다양성 보전을 위한 노력
  (1) 개인적 노력: 쓰레기 덜 버리기, 생명을 함부로 해치지 않기, 희귀 동물을 애완용으로 기르지 않기, 플라스틱 사용 줄이기 등
  (2) 사회적 노력: 비오톱 설치, 생태 통로 설치, 서식지 보호 활동 등
  (3) 국가적 노력: 보호 지역 지정, 멸종 위기종 지정 및 관리 등
  (4) 국제적 노력: 국가 간 국제 협약(❷( ㄹㅅㄹ ) 협약, 생물 다양성 협약 등)

**Tip**

생물 다양성 감소
➡ 무분별한 개발과 환경 오염으로 생물의 서식지가 급격히 감소하고 있다.

답 ❶ 서식지 ❷ 람사르

서식지 파괴가 생물 다양성을 감소시키는 가장 큰 원인이 되고 있어.

## 2-1

**생물 다양성의 위기에 대한 설명이다. 빈칸에 알맞은 말을 쓰시오.**

(1) 무분별한 개발과 환경 오염으로 생물의 (          )가 급격히 감소하고 있다.

(2) 생태계에 새롭게 유입된 동식물은 대체로 (          )이 없어 그 지역 고유종의 생존에 위협이 될 수 있다.

(3) 상업적인 목적을 위해 특정 종을 불법 (          )하거나 남획하는 것은 생물 다양성을 감소시킨다.

4주

2일

## 2-2

외래종은 대체로 천적이 거의 없어 과도하게 번식해.

**그림은 우리나라에서 발견되는 외래종들이다.**

▲ 가시박　　　　　　　▲ 뉴트리아　　　　　　　▲ 베스

**이와 관련된 설명으로 옳은 것을 보기 에서 모두 고른 것은?**

<u>보기</u>

ㄱ. 이 지역 고유 생물종의 변이로 발생한 것이다.

ㄴ. 이 생물의 번식으로 생태계의 다양성이 증가된다.

ㄷ. 과도하게 번식하여 토종 생물종에 위협이 될 수 있다.

① ㄱ　　　　　　　② ㄷ　　　　　　　③ ㄱ, ㄴ

④ ㄱ, ㄷ　　　　　　⑤ ㄱ, ㄴ, ㄷ

용어 풀이

＊**남획**(濫 넘칠, 獲 얻을): 짐승이나 물고기 따위를 마구 잡음

**대표 기출문제**  주제 1  생물 다양성의 중요성

## 1-1

다음은 생물 다양성의 중요성에 대한 설명이다.

> • 벼와 밀은 인류의 식량 자원으로 매우 중요하다.
> • 누에고치에서 얻은 실은 옷감 재료로 이용된다.
> • 푸른곰팡이에서 추출한 항생제인 페니실린으로 인해 수많은 사람들이 감염에서 목숨을 구할 수 있었다.

생물 다양성의 중요성과 관련하여 가장 관계 깊은 것은?

① 생태계 유지
② 생물 자원 제공
③ 도구 발명의 원천
④ 생명 존중의 윤리적 가치
⑤ 지구 환경의 유지 및 보전

## 1-2

그림은 두 종류의 생태계에서 먹이 사슬을 나타낸 것이다.

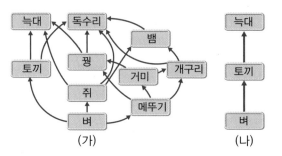

(가)　　　　　　　　　(나)

이에 대한 설명으로 옳은 것을 보기 에서 모두 고른 것은?

> 보기
> ㄱ. (가)가 (나)보다 생물 다양성이 높다.
> ㄴ. (가)와 (나)에서 토끼가 사라지면 (가)의 늑대는 생존할 수 있으나 (나)의 늑대는 생존하기 어렵다.
> ㄷ. (나)의 먹이 사슬이 단순하여 생태계 안정성이 (가)보다 높다.

① ㄱ　　　　② ㄱ, ㄴ　　　　③ ㄱ, ㄷ
④ ㄴ, ㄷ　　　⑤ ㄱ, ㄴ, ㄷ

## 1-3

생물이 도구 발명의 원천이 되는 예로 좋은 것을 보기 에서 모두 고른 것은?

> 보기
> ㄱ. 잠자리의 나는 모습을 보고 소형 비행기를 만들었다.
> ㄴ. 농작물이나 가축 등을 인류의 주요 식량 자원으로 이용하였다.
> ㄷ. 옷에 붙어 잘 떨어지지 않는 도꼬마리 열매의 갈고리 형태에 착안하여 벨크로를 만들었다.

① ㄱ　　　　② ㄱ, ㄴ　　　　③ ㄱ, ㄷ
④ ㄴ, ㄷ　　　⑤ ㄱ, ㄴ, ㄷ

**Hint** 농작물이나 가축 등 인류의 주요 식량 자원은 생물 자원에 해당한다.

**문제 해결 Point**

가이드 | 생물 다양성이 사람에게 **유용한 자원**을 제공한다는 점에 대해 생각해 본다.

해결 Point | 생물은 식량 자원, 의약품 원료, 공산품 원료 등 인간의 생존에 필요한 생물 자원을 제공한다.

**대표 기출문제** **주제2** 생물 다양성의 위기와 보전

## 2-1

다음은 생물 다양성을 보전할 수 있는 다양한 방법이다.

(가) 비오톱을 설치하여 생물이 살아가는 서식 공간을 확보한다.
(나) 람사르 협약, 생물 다양성 협약을 맺고 이를 이행하려고 노력한다.
(다) 생태학적 가치가 있는 지역을 국립 공원, 습지 보호 구역, 야생 동식물 보호 지역으로 지정·관리한다.

(가)~(다)의 설명을 옳게 짝 지은 것은?

|   | (가) | (나) | (다) |
|---|------|------|------|
| ① | 사회적 노력 | 국가적 노력 | 국제적 노력 |
| ② | 사회적 노력 | 국제적 노력 | 국가적 노력 |
| ③ | 국가적 노력 | 국제적 노력 | 사회적 노력 |
| ④ | 국제적 노력 | 사회적 노력 | 국가적 노력 |
| ⑤ | 국제적 노력 | 국가적 노력 | 사회적 노력 |

## 2-2

생물 다양성을 감소시키는 원인으로 옳지 <u>않은</u> 것을 모두 고르면?(정답 2개)

① 서식지 파괴
② 외래종 유입
③ 생태 통로 설치
④ 불법 포획과 남획
⑤ 멸종 위기종 지정 및 관리

## 2-3

생물 다양성 보전을 위한 개인적인 노력에 해당하는 것을 보기 에서 모두 고른 것은?

보기
ㄱ. 쓰레기를 덜 버리고, 가능한 분리 수거하기
ㄴ. 일회용품 사용을 자제하고 개인 컵을 사용하기
ㄷ. 생태 통로를 설치하여 야생 동물이 서식지를 이동할 수 있게 하기

① ㄱ       ② ㄱ, ㄴ       ③ ㄱ, ㄷ
④ ㄴ, ㄷ       ⑤ ㄱ, ㄴ, ㄷ

**Hint** 생태 통로는 지자체 활동을 통해 건설하게 된다.

**문제 해결 Point**

**가이드** 생물 다양성을 보전하기 위해서는 **개인적, 사회적, 국가적, 국제적 노력**이 병행되어야 효과가 크게 나타난다.

**해결 Point** 생물 다양성을 보전할 수 있는 사회적 노력으로는 비오톱, 생태 통로 등을 들 수 있다. 또한, 국가적 노력으로는 국립 공원 지정, 멸종 위기종 지정, 환경 영향 평가 시행 등을 들 수 있으며, 국제적 노력으로는 람사르 협약, 생물 다양성 협약 등 국제 협약을 맺고 이를 이행하려고 노력하는 것을 들 수 있다.

# 주 3일 스스로 움직이는 입자 (1)

기체는 크기가 매우 작은 입자들로 이루어져 있다. 이러한 입자들은 스스로 끊임없이 모든 방향으로 움직인다.

---

### 중요 개념

- **입자** 물질을 이루는 기본적인 단위
  (1) 입자 모형: 작아서 눈에 보이지 않는 입자를 사물이나 도형을 이용하여 간단히 나타낸 것
  (2) 기체를 이루는 입자
  - 기체는 매우 작은 ❶( ㅇㅈ )들로 이루어져 있다.
  - 기체 입자들은 서로 떨어진 채 골고루 퍼져 있으며 입자 사이에 빈 공간이 있다.
    예 공기가 들어 있는 주사기의 끝을 막고 피스톤을 누르면 피스톤이 밀려 들어간다.
    ➡ 공기 입자 사이의 거리가 더 가까워지기 때문
- **입자 운동** 물질을 이루고 있는 입자가 스스로 끊임없이 ❷( ㅁㄷ ) 방향으로 움직이는 현상
  - 입자 운동의 증거: 확산, 증발

**Tip**

주사기 속 피스톤을 누를 때 변하지 않는 것
➡ 입자의 종류, 모양, 크기, 개수 등

답 ❶ 입자 ❷ 모든

# 개념 원리 확인

○ 정답과 해설 **28**쪽

기체를 이루고 있는 입자는 스스로 끊임없이 모든 방향으로 움직이는 운동을 해.

## 1-1

다음은 기체를 이루는 입자와 입자의 운동에 대한 설명이다. ( ) 안에서 알맞은 것을 고르시오.

(1) 물질을 이루는 기본적인 단위를 ( 입자 / 기체 )라고 한다.

(2) 기체 입자는 ( 스스로 / 다른 입자의 도움으로 ) 끊임없이 움직인다.

(3) 기체의 입자 운동은 ( 한 / 모든 ) 방향으로 움직인다.

(4) 작아서 눈에 보이지 않는 입자를 ( 간단한 / 복잡한 ) 모형으로 나타낸 것을 입자 모형이라고 한다.

## 1-2

다음은 입자 운동에 대한 설명이다. 빈칸에 알맞은 말을 쓰시오.

> 입자 운동의 증거가 되는 현상에는 확산과 ( )이 있다.

## 1-3

다음은 입구를 막은 주사기에 공기를 넣고 피스톤을 누르는 모습을 보고 세 친구가 나눈 대화를 나타낸 것이다. 준성이와 효민이 중 옳지 <u>않게</u> 말한 사람을 쓰시오. ( )

공기 입자들은 서로 떨어진 채 골고루 퍼져 있고, 공기 입자 사이에 빈 공간이 있어.

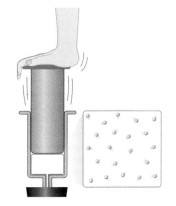

은수: 피스톤을 누르면 어떻게 될까?

준성: 공기 입자의 수는 그대로일 거야.

효민: 공기 입자 사이의 거리가 더 멀어질 거야.

용어 풀이

*입자(粒 낱알, 子 아들): 아주 작고 거의 눈에 보이지 않을 정도의 작은 물체

# 주 3일 스스로 움직이는 입자 (1)

**주제 2** **확산**

우리는 일상생활에서 여러 가지 냄새를 맡을 수 있다. 이처럼 냄새를 맡을 수 있는 것은 물질이 주변으로 퍼져 나가는 확산 현상 때문이다.

**중요 개념**

● **확산** 물질을 이루는 입자가 스스로 운동하여 ❶( ㅍㅈ ) 나가는 현상

  예 향수병의 뚜껑을 열어 놓으면 향수 냄새가 방 안 전체에 퍼진다.

▲ 기체 속 확산

▲ 액체 속 확산

● **확산이 잘 일어나는 조건**

  • 온도: ❷( ㄴㅇㅅㄹ ) 예 화장실에서 나는 냄새는 여름철이 겨울철보다 더 심하다.

  • 물질의 상태: 고체<액체<기체 예 물보다 수증기가 빨리 퍼진다.

  • 일어나는 곳: 액체 속<기체 속<*진공 속 순 예 수소 기체는 공기 속보다 진공 속에서 빨리 퍼진다.

> **Tip**
>
> **액체 속 확산**
> ➡ 확산은 기체뿐만 아니라 액체 속에서도 일어난다.
> 예 물에 잉크를 떨어뜨리면 물 전체가 잉크색으로 변한다.

**답** ❶ 퍼져 ❷ 높을수록

## 2-1

다음은 어떤 현상에 대한 설명이다. 빈칸에 알맞은 말을 쓰시오.

> 물질을 이루는 입자가 스스로 운동하여 퍼져 나가는 현상을
> (          )이라고 한다.

## 2-2

확산에 대한 설명으로 옳은 것은 ○표, 옳지 않은 것은 × 표를 하시오.

(1) 확산은 기체에서만 일어난다. (          )

(2) 입자 운동의 증거가 되는 현상이다. (          )

(3) 물질을 이루는 입자가 스스로 움직여 액체 표면에서 기체로 변하는 현상이다. (          )

> 물질을 이루는 입자가 스스로 움직여 액체 표면에서 기체로 변하는 현상은 증발이야.

## 2-3

다음은 확산이 빨리 일어나는 조건을 나타낸 것이다. ☐ 안에 알맞은 부등호를 쓰시오.

| 온도 | 물질의 상태 | 일어나는 곳 |
|---|---|---|
| 높을수록 | (1) 고체 ☐ 액체 ☐ 기체 | (2) 액체 속 ☐ 기체 속 ☐ 진공 속 |

용어 풀이

\* **진공**(眞 참, 空 빌): 물질이 전혀 존재하지 않는 공간

**대표 기출문제** | 주제1 | 입자 운동

## 1-1

입자 운동의 증거가 되는 현상을 모두 고르면? (정답 2개)

① 젖은 빨래가 마른다.

② 난로 주변이 따뜻하다.

③ 노래 소리가 멀리 퍼진다.

④ 빵집 근처에서 빵 냄새가 난다.

⑤ 물이 높은 곳에서 낮은 곳으로 흐른다.

## 1-2

그림은 일정한 온도에서 주사기에 공기를 넣고 주사기 끝을 막은 다음 피스톤을 눌렀더니 피스톤이 밀려 들어가는 모습을 나타낸 것이다. 피스톤이 밀려 들어간 까닭에 대해 옳게 말한 사람을 쓰시오.

피스톤을 누름

공기

공기 입자의 크기가 작아지기 때문이야.

공기 입자 사이의 거리가 가까워지기 때문이야.

유희

예준

### 문제 해결 Point

**가이드** 확산과 증발은 입자 운동의 증거가 되는 현상으로, 각각의 예를 들 수 있어야 한다.

**해결 Point** 입자 운동은 물질을 이루는 입자가 스스로 끊임없이 모든 방향으로 움직이는 현상으로, 확산과 증발이 그 예이다.
① 젖은 빨래가 마르는 것은 증발에 해당한다.
② 난로 주변이 따뜻한 것은 복사에 의한 현상이다.
③ 노래 소리가 멀리 퍼지는 것은 파동에 의한 현상이다.
④ 빵집 근처에서 빵 냄새가 나는 것은 확산에 해당한다.
⑤ 물이 높은 곳에서 낮은 곳으로 흐르는 것은 중력에 의한 현상이다.

**오개념 주의** 소리가 멀리 퍼지거나 난로 주변이 따뜻해지는 것이 입자 운동의 예라고 생각하기 쉬우므로 주의하도록 한다.

## 1-3

기체를 이루는 입자에 대한 설명으로 옳지 않은 것은?

① 기체 입자 사이에 빈 공간이 있다.

② 기체는 매우 작은 입자들로 이루어져 있다.

③ 기체 입자들은 서로 떨어진 채 골고루 퍼져 있다.

④ 기체를 이루는 입자들은 스스로 끊임없이 움직인다.

⑤ 기체 입자는 너무 작아 입자 모형으로 나타낼 수 없다.

**Hint** 눈에 보이지 않는 기체를 이루는 입자를 간단한 입자 모형으로 나타낼 수 있다.

**대표 기출문제** 주제 **2** 확산

## 2-1

그림은 페놀프탈레인 용액을 묻힌 솜을 페트리 접시 위에 십자 모양으로 놓은 다음, 접시 중앙에 암모니아수를 떨어뜨리고 페트리 접시의 뚜껑을 닫은 후 시간의 흐름에 따라 변화를 관찰한 실험을 나타낸 것이다.

암모니아수

페놀프탈레인 용액을 묻힌 솜

이에 대한 설명으로 옳은 것을 보기 에서 모두 고른 것은?

보기

ㄱ. 암모니아수를 떨어뜨린 곳에서 먼 솜부터 붉게 변한다.

ㄴ. 암모니아 입자가 스스로 운동하여 모든 방향으로 확산한다.

ㄷ. 페놀프탈레인 용액을 묻힌 솜을 붉게 변화시키는 물질은 암모니아이다.

① ㄱ      ② ㄴ      ③ ㄷ

④ ㄱ, ㄴ      ⑤ ㄴ, ㄷ

**문제 해결 Point**

가이드   이 실험을 통해 암모니아의 **확산** 현상을 관찰하고, 입자 운동을 알 수 있다.

해결 Point   페놀프탈레인 용액은 암모니아와 같은 염기성 물질을 붉은색으로 변화시킨다. 실험 결과 암모니아수를 떨어뜨린 곳에서 가까운 쪽의 솜부터 먼 쪽의 솜으로 차례대로 붉은색으로 변한다. 이로부터 페트리 접시 중앙에 떨어뜨린 암모니아수에서 나온 암모니아 기체 입자가 스스로 운동하여 모든 방향으로 확산한다는 것을 알 수 있다.

## 2-2

그림은 향수 입자들이 공기 중으로 퍼져 나가는 현상을 모형으로 나타낸 것이다. 이와 같은 현상으로 옳은 것은?

향수 입자

① 증발      ② 확산      ③ 융해

④ 응고      ⑤ 액화

## 2-3

확산에 대한 설명으로 옳지 <u>않은</u> 것은?

① 입자가 운동하기 때문에 나타난다.

② 확산은 온도가 높을수록 빨리 일어난다.

③ 진공 속에서는 확산이 일어나지 않는다.

④ 확산은 액체 속보다 진공 속에서 더 잘 일어난다.

⑤ 확산은 물질을 이루고 있는 입자가 스스로 움직여 퍼져 나가는 현상이다.

**Hint** 온도가 높을수록 입자 운동이 활발하게 일어난다.

# 4일 스스로 움직이는 입자 (2)

**주제 1** 증발

물과 같은 액체의 표면에서 액체가 기체로 변하여 공기 중으로 날아가는 현상을 증발이라고 한다.

| 온도가 높을수록 | 습도가 낮을수록 |
|---|---|
| 바람이 많이 불수록 | 표면적이 넓을수록 |

**중요 개념**

● **증발** 물질을 이루는 입자가 스스로 운동하여 액체의 표면에서 ❶( ㄱㅊ )로 변하여 공기 중으로 날아가는 현상

● **증발이 잘 일어나는 조건**

| | 조건 | 예 |
|---|---|---|
| 온도 | 높을수록 | 겨울철보다 여름철에 빨래가 잘 마른다. |
| 습도 | ❷( ㄴㅇㅅㄹ ) | 비가 오는 날보다 맑은 날에 빨래가 잘 마른다. |
| 바람 | 많이 불수록 | 바람이 적게 부는 날보다 많이 부는 날에 빨래가 잘 마른다. |
| 표면적 | 넓을수록 | 빨래가 뭉쳐 있을 때보다 펴져 있을 때 잘 마른다. |

물 입자

**Tip**

**증발과 끓음**
➡ 증발은 액체의 표면에서만 일어나고, 끓음은 액체 표면과 내부 모두에서 일어난다.

답 ❶ 기체 ❷ 낮을수록

## 1-1

다음은 어떤 현상에 대한 설명이다. 빈칸에 알맞은 말을 쓰시오.

입자가 스스로 운동하여 액체 표면에서 기체로 변하는 현상을 ( )이라고 한다.

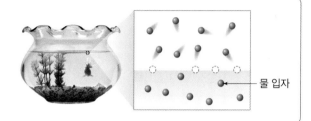

물 입자

## 1-2

증발에 대한 설명으로 옳은 것은 ○표, 옳지 않은 것은 × 표를 하시오.

(1) 증발은 습도와 바람의 영향을 받는다. ( )

(2) 입자의 운동에 의해 나타나는 현상이다. ( )

(3) 액체 내부의 입자가 기체로 되는 현상이다. ( )

(4) 증발은 온도와는 상관없이 일정하게 일어난다. ( )

**4**
주

**4일**

증발은 온도, 습도, 바람, 표면적의 영향을 받아.

## 1-3

다음은 증발이 잘 일어나는 조건에 대한 설명이다. ( ) 안에서 알맞은 것을 고르시오.

(1) 온도가 ( 낮을수록 / 높을수록 ) 증발이 잘 일어난다.

(2) 습도가 ( 낮을수록 / 높을수록 ) 증발이 잘 일어난다.

(3) 바람이 ( 많이 불수록 / 적게 불수록 ) 증발이 잘 일어난다.

(4) 액체의 표면적이 ( 좁을수록 / 넓을수록 ) 증발이 잘 일어난다.

주제 **2** 확산과 증발의 예

### 중요 개념

● 확산과 증발의 예

| ❶ ( ㅎㅅ ) | ❷ ( ㅈㅂ ) |
|---|---|
| • 꽃향기가 공기 중으로 퍼진다. | • 젖은 빨래가 마른다. |
| • 빵집 근처에서 빵 냄새가 난다. | • 손등에 바른 알코올이 사라진다. |
| • 카페에 들어서면 커피 향이 난다. | • 어항 속 물의 양이 점점 줄어든다. |
| • 마약 탐지견이 냄새로 마약을 찾는다. | • 염전에서 바닷물을 증발시켜 소금을 얻는다. |
| • 요리할 때 음식 냄새를 맡을 수 있다. | • 젖은 머리카락이 시간이 지나면 마른다. |
| • 물에 잉크를 떨어뜨리면 물 전체가 잉크 색으로 변한다. | • 이른 아침 풀잎에 맺힌 이슬이 시간이 지나면 사라진다. |

> **Tip**
>
> **증발과 확산**
> 액체 표면의 입자들이 활발하게 운동하여 공기 중으로 증발하고, 증발한 입자가 확산하여 공기 중으로 퍼져 나간다.
>
> 답 ❶ 확산 ❷ 증발

# 개념 원리 확인

## 2-1

각 그림에 해당하는 현상을 옳게 연결하시오.

(1)

향수 냄새가 난다.

(2)

물이 말라 없어진다.

· ㉠ 확산

(3)

음식 냄새가 난다.

· ㉡ 증발

(4)

염전에서 소금이
만들어진다.

염전에서 바닷물이
증발되면 소금이
만들어져.

## 2-2

확산과 증발에 대한 설명으로 옳은 것은 ○표, 옳지 않은 것은 ×표를 하시오.

(1) 확산은 액체 속에서도 일어난다. ( )

(2) 증발은 습도가 높을수록 잘 일어난다. ( )

(3) 증발은 액체의 표면적이 넓을수록 잘 일어난다. ( )

(4) 확산과 증발은 입자의 운동에 의해 나타나는 현상이다. ( )

## 1-1

그림은 전자저울 위에 거름종이가 놓인 페트리 접시를 올려놓고 영점 조정을 한 다음, 거름종이에 아세톤을 5~6방울 떨어뜨린 후 변화를 관찰하는 실험을 나타낸 것이다. 이에 대한 설명으로 옳지 <u>않은</u> 것은?

① 아세톤의 질량이 점점 증가한다.
② 주변의 온도를 높이면 아세톤의 증발이 더 빠르게 일어난다.
③ 주변의 습도를 낮추면 아세톤의 증발이 더 빠르게 일어난다.
④ 거름종이 위에 떨어뜨린 아세톤의 양이 점점 줄어들다가 사라진다.
⑤ 거름종이에 있던 아세톤 입자가 증발하여 공기 중으로 퍼져 나가 아세톤 냄새가 난다.

### 문제 해결 Point

**가이드** 이 실험은 거름종이에 아세톤을 떨어뜨려 **증발** 현상을 알아보는 실험이다.

**해결 Point** 시간이 지나면서 거름종이에 떨어뜨린 아세톤 입자가 <u>스스로</u> 운동하여 아세톤 표면에서 공기 중으로 날아가기 때문에 아세톤의 질량이 점점 감소한다. 이때 아세톤 입자가 공기 중으로 퍼져 나가기 때문에 거름종이 주위에서는 아세톤 냄새가 난다.
주변의 온도를 높이거나, 주변의 습도를 낮추면 아세톤의 증발을 더 빨리 일어나게 할 수 있다.

## 1-2

증발에 대한 설명으로 옳은 것을 보기 에서 모두 고른 것은?

**보기**

ㄱ. 바람이 불 때만 일어난다.
ㄴ. 액체 표면에서 액체가 기체로 변하는 현상이다.
ㄷ. 물질을 이루는 입자들이 스스로 끊임없이 움직인다는 증거이다.

① ㄱ     ② ㄴ     ③ ㄱ, ㄴ
④ ㄴ, ㄷ     ⑤ ㄱ, ㄴ, ㄷ

## 1-3

그림은 빨래를 빨리 말릴 수 있는 방법에 대해 두 친구가 나눈 대화를 나타낸 것이다. 빨래를 빨리 말릴 수 있는 방법을 옳게 말한 사람을 쓰시오.

온도를 낮추고 습도를 높이면 빨래가 빨리 말라. — 은혜

온도를 높이고 습도를 낮추면 빨래가 빨리 말라. — 하율

**Hint** 빨래가 마르는 현상은 증발의 예이다.

**대표 기출문제** 주제 2 확산과 증발의 예

## 2-1

다음과 같은 원리로 일어나는 현상은?

시간이 지남에 따라 어항의 물이 점점 줄어든다.

① 꽃향기가 공기 중으로 퍼진다.
② 빵집 근처에서 빵 냄새가 난다.
③ 손등에 바른 알코올이 사라진다.
④ 카페에 들어서면 커피 향이 난다.
⑤ 요리할 때 음식 냄새를 맡을 수 있다.

**문제 해결 Point**

가이드 | **증발**과 **확산** 현상을 구분하고 각각의 예를 들 수 있어야 한다.

해결 Point | **확산**은 물질을 이루고 있는 입자가 스스로 운동하여 퍼져 나가는 현상이고, **증발**은 물질을 이루고 있는 입자가 스스로 운동하여 액체 표면에서 기체로 변하는 현상이다. 시간이 지남에 따라 어항의 물이 줄어드는 것은 증발의 예이다.
① 꽃향기가 공기 중으로 퍼지는 것은 확산 현상이다.
② 빵집 근처에서 빵 냄새가 나는 것은 확산 현상이다.
③ 손등에 바른 알코올이 사라지는 것은 증발 현상이다.
④ 카페에 들어서면 커피 향이 나는 것은 확산 현상이다.
⑤ 요리할 때 음식 냄새를 맡을 수 있는 것은 확산 현상이다.

## 2-2

증발의 예로 옳지 <u>않은</u> 것은?

① 젖은 빨래가 마른다.
② 어항 속 물의 양이 점점 줄어든다.
③ 요리할 때 음식 냄새를 맡을 수 있다.
④ 젖은 머리카락이 시간이 지나면 마른다.
⑤ 이른 아침에 풀잎에 맺힌 이슬이 시간이 지나면 사라진다.

## 2-3

그림은 확산의 예를 나타낸 것이다.

꽃집 근처를 지나갈 때 꽃향기가 난다.

아~ 좋은 꽃향기가 나네.

이와 같은 원리로 일어나는 현상은?

① 젖은 빨래가 마른다.
② 가뭄으로 땅바닥이 갈라진다.
③ 물걸레로 닦은 교실 바닥이 마른다.
④ 염전에서 바닷물을 증발시켜 소금을 얻는다.
⑤ 주방에서 만드는 음식 냄새가 집 안 전체에 퍼진다.

# 5일 기체의 압력과 부피

## 주제 1 기체의 압력

기체 입자들은 용기의 벽에 충돌하면서 바깥쪽으로 밀어내는 힘을 가하게 되는데, 기체 입자가 일정한 넓이에 충돌할 때 가하는 힘의 크기를 기체의 압력(기압)이라고 한다.

고무풍선에 공기를 불어넣는다.

고무풍선 속 기체 입자 수와 기체 입자의 충돌 횟수가 증가한다.

기체 입자의 충돌 횟수가 많아질수록 압력이 커져 고무풍선이 커지게 된다.

점점 기체 입자들이 많아져 더 많이 벽에 부딪혀!

기체 입자들이 많이 부딪히니까 고무풍선이 더 커지네!

### 중요 개념

● **기체의 압력(기압)** 기체 입자들이 운동하면서 일정한 넓이에 충돌할 때 작용하는 ❶( ㅎ )의 크기 ➡ 기체의 압력은 ❷( ㅁㄷ ) 방향에 같은 크기로 작용
● **기체의 압력이 커지는 조건** 기체의 충돌 횟수가 많을수록 커진다.

| 기체 입자 개수가 많을수록 | 용기의 부피, 온도가 일정할 때 기체 입자 개수가 많을수록 압력이 커진다. |
|---|---|
| 용기의 부피가 작을수록 | 기체 입자 개수, 온도가 일정할 때 용기의 부피가 작을수록 압력이 커진다. |
| 온도가 높을수록 | 기체 입자 개수, 용기의 부피가 일정할 때 온도가 높을수록 압력이 커진다. |

기체의 충돌 횟수가 많아진다.

**Tip**

**압력**
➡ 단위 넓이에 수직으로 작용하는 힘의 크기로, 작용하는 힘이 클수록, 힘을 받는 면적의 넓이가 좁을수록 압력이 커진다.

답 ❶ 힘 ❷ 모든

## 1-1

다음 중에서 스펀지에 작용하는 압력의 크기가 가장 큰 것을 고르시오. ( )

(가)  (나)  (다)

작용하는 힘이 클수록, 힘을 받는 면적이 좁을수록 압력이 커진다.

## 1-2

다음은 기체의 압력에 대한 설명이다. 빈칸에 알맞은 말을 쓰시오.

(1) 기체의 압력은 ( ) 방향으로 작용한다.

(2) 기체 입자의 충돌 횟수가 ( )수록 기체의 압력이 커진다.

(3) 기체의 압력은 기체 입자들이 운동하면서 일정한 넓이에 ( )할 때 작용하는 힘의 크기이다.

9주

5일

## 1-3

다음은 기체의 압력이 커지는 조건을 나타낸 것이다. ( ) 안에서 알맞은 말을 고르시오.

> 용기의 부피와 온도가 일정할 때 기체 입자 개수가 ㉠( 적을수록, 많을수록 ), 기체 입자 개수와 온도가 일정할 때 용기의 부피가 ㉡( 작을수록, 클수록 ), 기체 입자 개수와 용기의 부피가 일정할 때 온도가 ㉢( 낮을수록, 높을수록) 기체의 압력이 커진다.

**기체의 압력과 부피**

일정한 온도에서 기체에 작용하는 압력이 증가하면 기체의 부피는 감소하고,
기체에 작용하는 압력이 감소하면 기체의 부피는 증가한다.

---

### 중요 개념

● **기체의 압력과 부피 관계**  온도가 일정할 때 기체에 작용하는 압력이 증가하면 기체의 부피
는 ❶( ㄱㅅ )하고, 압력이 감소하면 기체의 부피는 ❷( ㅈㄱ )한다.
─ 입자의 운동 속도, 입자의 개수, 입자의 크기, 입자의 질량은 변하지 않는다.

기체 부피
증가

◀ 압력 감소    압력 증가 ▶

기체 부피
감소

외부 압력 감소 ➡ 기체 부피 증가 ➡ 기체 입자
의 충돌 횟수 감소 ➡ 용기 속 기체 압력 감소

외부 압력 증가 ➡ 기체 부피 감소 ➡ 기체 입자
의 충돌 횟수 증가 ➡ 용기 속 기체 압력 증가

**Tip**

**기체의 압력을 이용하는 예**
➡ 안전 매트(안전 매트에
공기를 넣으면 압력이 커
져 사람을 구조할 수 있
음), 혈압계(혈압계의 공
기 주머니에 공기가 채워
지면서 팔에 힘을 가해 혈
압을 측정)

답 ❶ 감소 ❷ 증가

## 2-1

그림은 일정한 온도에서 압력에 따른 기체의 부피 변화를 입자 모형으로 나타낸 것이다. (가)에서 (나)로 변할 때 주사기 속 기체에 대한 내용을 옳게 연결하시오.

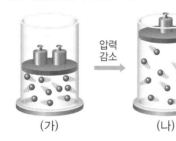

(가) → 압력 감소 → (나)

온도가 일정할 때 외부 압력에 따라 기체의 부피, 입자 사이의 거리, 입자의 충돌 횟수가 달라져.

(1) 기체 입자의 크기 •

(2) 기체 입자의 질량 •

(3) 기체 입자의 개수 •

(4) 기체의 부피 •

(5) 기체 입자 사이의 거리 •

(6) 기체 입자의 충돌 횟수 •

• ㉠ (가) > (나)

• ㉡ (가) = (나)

• ㉢ (가) < (나)

## 2-2

다음은 기체의 압력과 부피에 대한 설명이다. 빈칸에 알맞은 말을 쓰시오.

기체의 온도가 일정할 때 기체에 작용하는 압력이 ㉠(          )하면 기체의 부피는 감소하고, 압력이 ㉡(          )하면 기체의 부피는 증가한다.

## 2-3

그림은 일정한 온도에서 주사기 끝을 고무마개로 막고 피스톤을 누르는 모습을 나타낸 것이다. (   ) 안에서 알맞은 말을 고르시오.

일정한 온도에서 주사기의 피스톤을 누르면 주사기 속 기체 입자의 충돌 횟수가 ㉠( 증가 / 감소 )하므로 주사기 속 기체의 압력은 ㉡( 커진다 / 작아진다 ).

공기

## 1-1

그림은 고무풍선에 들어 있는 기체 입자의 운동 모형을 나타낸 것이다. 이에 대한 설명으로 옳은 것을 모두 고르면?(정답 2개)

① 기체 입자의 수가 많을수록 고무풍선이 커진다.

② 기체의 압력은 모든 방향에 같은 크기로 작용한다.

③ 기체 입자의 충돌 횟수가 증가할수록 고무풍선의 크기는 작아진다.

④ 기체 입자의 충돌 횟수가 증가할수록 고무풍선 속 기체의 압력은 감소한다.

⑤ 온도를 높이면 기체 입자의 충돌 횟수가 증가해 고무풍선의 크기가 작아진다.

## 1-2

기체의 압력에 대한 설명으로 옳은 것을 보기 에서 모두 고른 것은?

**보기**

ㄱ. 기체의 압력은 한 방향으로만 작용한다.

ㄴ. 기체 입자의 충돌 횟수가 많을수록 기체의 압력은 커진다.

ㄷ. 기체의 압력은 기체 입자가 일정한 넓이에 충돌할 때 가하는 힘의 크기이다.

① ㄱ          ② ㄴ          ③ ㄷ

④ ㄱ, ㄴ          ⑤ ㄴ, ㄷ

**Hint** 기체 입자의 충돌 횟수가 많을수록 기체의 압력은 커진다.

## 1-3

그림은 고무풍선에 공기를 불어 넣을 때 풍선 속에서 일어나는 변화를 나타낸 것이다.

이에 대한 설명으로 옳은 것을 모두 고른 것은?

**보기**

ㄱ. 고무풍선이 커진다.

ㄴ. 고무풍선 속 기체의 입자 수가 증가한다.

ㄷ. 고무풍선 속 기체 입자의 충돌 횟수가 감소한다.

① ㄱ          ② ㄴ          ③ ㄷ

④ ㄱ, ㄴ          ⑤ ㄴ, ㄷ

**Hint** 고무풍선에 공기를 불어 넣으면 고무풍선 속 기체 입자 수가 증가하게 된다.

### 문제 해결 Point

**가이드**  고무풍선 속 **기체의 압력**을 입자의 운동으로 설명할 수 있어야 한다.

**해결 Point**  기체의 압력은 기체 입자들이 운동하면서 용기 벽에 충돌할 때 일정한 면적에 작용하는 힘의 크기로, 기체의 압력은 모든 방향에 같은 크기로 작용한다.
고무풍선 속 기체 입자의 수가 증가할수록 기체 입자의 충돌 횟수가 증가하고, 기체 입자의 충돌 횟수가 증가할수록 고무풍선 속 기체의 압력이 증가해 풍선의 크기는 커진다. 또한, 온도를 높이면 기체 입자의 운동이 활발해져서 고무풍선 속 기체 입자의 충돌 횟수가 증가해 고무풍선의 크기가 커진다.

**대표 기출문제** **주제 2** 기체의 압력과 부피

## 2-1

그림은 공기를 조금 넣은 고무풍선을 감압 용기 속에 넣고 펌프를 이용하여 용기 속 공기를 빼내는 모습을 나타낸 것이다. 이에 대한 설명으로 옳은 것을 보기 에서 모두 고른 것은?

보기
ㄱ. 감압 용기 속 기체의 압력이 작아지면서 고무풍선의 부피가 커진다.
ㄴ. 고무풍선 속 기체의 압력은 커진다.
ㄷ. 공기를 다시 채우면 감압 용기 속 기체의 압력이 작아지고, 고무풍선의 부피가 커진다.

① ㄱ          ② ㄴ          ③ ㄷ
④ ㄱ, ㄴ       ⑤ ㄱ, ㄴ, ㄷ

**Hint** 감압 용기 속 공기를 빼내면 감압 용기 속 기체의 압력이 작아진다.

## 2-2

그림은 입구를 막은 주사기에 작은 고무풍선을 넣고 피스톤을 누르는 모습을 나타낸 것이다. 주사기 속 기체의 압력과 고무풍선의 부피 변화에 대해 옳게 말한 사람을 쓰시오.

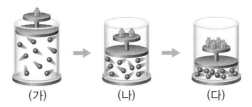

피스톤을 누르면 주사기 속 기체의 압력은 커지고 고무풍선의 부피는 작아져.
온유

피스톤을 누르면 주사기 속 기체의 압력은 작아지고 고무풍선의 부피는 커져.
요섭

## 2-3

그림은 일정한 온도에서 밀폐된 실린더에 기체를 넣고 압력을 변화시켰을 때의 입자 모형을 나타낸 것이다.

(가)~(다)에서의 기체 입자의 충돌 횟수를 옳게 비교한 것은?

① (가)<(나)<(다)
② (가)<(다)<(나)
③ (나)<(가)<(다)
④ (나)<(다)<(가)
⑤ (다)<(나)<(가)

### 문제 해결 Point

가이드  감압 용기 속 공기를 빼내거나 다시 채울 때 감압 용기 속 기체의 압력이 어떻게 변하는지 알고, 이로 인한 고무풍선의 부피 변화를 유추할 수 있어야 한다.

해결 Point  감압 용기 속 공기를 빼내면 감압 용기 속 기체 입자의 개수가 감소하여 기체 입자의 충돌 횟수가 감소하고 감압 용기 속 기체의 압력이 작아지면서 고무풍선의 부피가 커진다.
고무풍선의 부피가 커지면 고무풍선 속 기체 입자의 충돌 횟수가 감소하여 고무풍선 속 기체의 압력은 작아진다.
공기를 다시 채우면 감압 용기 속 기체의 압력이 커지고, 고무풍선의 부피가 작아진다.

오개념 주의  감압 용기 속 공기를 빼내면 고무풍선의 부피가 커지게 되는데 이는 고무풍선 속 기체의 압력이 커졌기 때문이라고 착각하기 쉬우므로 주의하도록 한다.

생물의 분류 단계 ▶ p.138

**01** 생물의 분류에 대한 설명으로 옳지 <u>않은</u> 것은?

① '계'는 '문'보다 상위의 분류 단계이다.
② 가장 기본이 되는 분류 단계는 '종'이다.
③ 두 종의 생물이 '과'가 같으면 '속'도 같다.
④ 고양이와 진돗개는 같은 식육목에 해당한다.
⑤ '계-문-강-목-과-속-종'의 7단계로 분류한다.

생물의 5계 ▶ p.140

**02** 그림은 발효 식품을 만들 때 이용하는 생물을 나타낸 것이다. 이 생물이 속한 계에 대한 설명으로 옳지 <u>않은</u> 것은?

① 모두 다세포 생물이다.
② 엽록체가 없어 광합성을 할 수 없다.
③ 버섯이나 효모도 이 생물계에 포함된다.
④ 대부분 몸이 실과 같은 균사로 이루어져 있다.
⑤ 죽은 생물이나 배설물을 분해하여 양분을 얻는다.

생물의 5계 ▶ p.140

**03** 그림 (가)~(다)는 세 가지 생물을 나타낸 것이다.

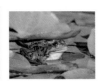

(가)　　　　　(나)　　　　　(다)

이 생물들의 공통점으로 옳은 것은?

① 단세포 생물이다.
② 세포에 핵막이 없다.
③ 세포에 세포벽이 있다.
④ 엽록체가 있어 광합성을 한다.
⑤ 다른 생물을 섭취하여 양분을 얻는다.

생물의 5계 ▶ p.140

**04** 다음은 어떤 생물군의 특징을 나타낸 것이다.

- 세포 내에 핵이 있다.
- 조직이나 뚜렷한 기관이 발달하지 않았다.
- 대부분 단세포이지만 다세포 생물도 있다.
- 광합성을 하는 다세포 생물도 포함되어 있다.

이 생물군이 어떤 계에 속하는지 쓰고, 이 계에 속하는 생물의 예를 한 가지 쓰시오.

생물 다양성의 위기와 보전 ▶ p.146

**05** 그림은 우리나라의 대표적 외래종인 가시박과 뉴트리아를 나타낸 것이다.

▲ 가시박　　　　　▲ 뉴트리아

이러한 외래종에 대한 설명으로 옳은 것을 보기 에서 모두 고른 것은?

> **보기**
> ㄱ. 외래종은 기존 서식지가 아닌 새로운 곳으로 유입된 동식물이다.
> ㄴ. 외래종은 먹이 사슬을 더 복잡하게 만들어 종 다양성을 증가시킨다.
> ㄷ. 외래종은 대체로 천적이 없어 급격히 번식하여 토착종에게 위협이 될 수 있다.

① ㄱ　　　　② ㄴ　　　　③ ㄷ
④ ㄱ, ㄷ　　　⑤ ㄴ, ㄷ

생물 다양성의 위기와 보전 ▶ p. 146

**06** 생물 다양성을 보전하기 위한 노력으로 옳지 <u>않은</u> 것은?

① 도시 개발을 할 때 환경 영향 평가를 시행한다.

② 생태학적 가치가 있는 지역을 국립 공원으로 지정·관리한다.

③ 비오톱을 설치하여 생물이 살아가는 서식 공간을 확보한다.

④ 도로를 만들 때 야생 동물이 이동할 수 있도록 생태 통로를 설치한다.

⑤ 인간의 활동에 의한 생물의 멸종은 지구 역사상 항상 있었기 때문에 크게 문제되지 않는다.

입자 운동 ▶ p. 150

**07** 입자 운동에 대한 설명으로 옳지 <u>않은</u> 것은?

① 입자는 모든 방향으로 움직인다.

② 입자는 스스로 끊임없이 운동한다.

③ 온도가 높을수록 입자 운동이 활발해진다.

④ 기체뿐만 아니라 액체 속에서도 일어난다.

⑤ 난로 주변이 따뜻해지는 현상은 입자 운동의 예이다.

증발 ▶ p. 156

**08** 그림과 같이 물질을 이루는 입자가 스스로 운동하여 액체 표면에서 기체로 변하는 현상을 무엇이라고 하는지 쓰시오.

확산과 증발의 예 ▶ p. 158

**09** 확산 현상과 관계가 <u>먼</u> 것은?

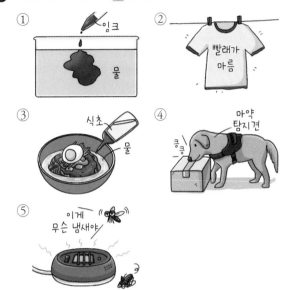

기체의 압력과 부피 ▶ p. 164

**10** 그림은 온도가 일정할 때 압력에 따른 기체의 부피 변화를 입자 모형으로 나타낸 것이다.

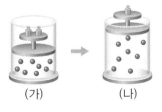

(가)와 (나)를 비교한 것으로 옳은 것은?

① (가) 기체의 압력은 (나)보다 작다.

② (가)의 기체 입자 수는 (나)보다 많다.

③ (가)와 (나)의 기체 입자의 질량은 같다.

④ (가) 기체의 입자 운동 속도는 (나)보다 느리다.

⑤ (가)와 (나)의 기체 입자가 충돌하는 횟수는 같다.

✏️ 4주에 배운 개념을 그림으로 저장

**생물의 다양성(2)**

**주변의 다양한 생물 분류하기**

생물의 분류 단계

❶ [　] 문 강 목 과 속 ❷ [　]
가장 큰 분류 단계 / 가장 작은 분류 단계

생물의 5계

❸ [　]
식물계　동물계
원생생물계
핵막 유/무
원핵생물계

**생물 다양성의 중요성과 보전**

생물 다양성의 중요성 | 생물 자원 제공, 도구 발명의 원천, 생태계 유지 등

생물 다양성의 위기 | ❹ [　] 파괴, 외래종 유입, 환경 오염, 불법 포획과 남획 등

생물 다양성의 보전 | 생태 통로 설치, 국립 공원 지정, 습지 지정 및 관리, 국가 간 국제 협약 등

표범　매　부엉이　뱀　사슴　토끼　개구리　들쥐　풀　메뚜기

▲ 생물 다양성이 높은 생태계

**기체의 성질(1)**

**확산**

• 확산이 잘 일어나는 조건

| 온도 | 물질의 상태 | 일어나는 곳 |
| --- | --- | --- |
| 높을수록 | 고체 < ❺ [　] < 기체 | 액체 속 < 기체 속 < 진공 속 |

**증발**

물 입자

• 증발이 잘 일어나는 조건

| 온도 | 습도 | 바람 | 표면적 |
| --- | --- | --- | --- |
| 높을수록 | 낮을수록 | 많이 불수록 | ❻ [　] |

**기체의 압력과 부피**

기체의 압력 | 기체 입자가 일정한 넓이에 충돌할 때 가하는 힘의 크기로, 모든 방향에 같은 크기로 작용

기체의 압력과 부피 | 압력 높임 → 압력 높임 → 외부 압력 증가 → 기체의 부피 감소 → 기체 입자의 충돌 횟수 증가 → 기체의 압력 ❼ [　]

답 ❶ 계 ❷ 종 ❸ 균계 ❹ 서식지 ❺ 액체 ❻ 넓을수록 ❼ 증가

# 🖊 재미있는 개념 완성 퀴즈

다음 상황과 관련된 것을 사다리 타기를 하며 찾아보시오.

 ❶ 핵막 유무 ❷ 생태 통로 ❸ 증발 ❹ 확산

과학의 다양한 유형 문제를
해결하는 방법을 연습하면서
사고력을 기르자.

**1** 그림은 두 종류의 생태계를 나타낸 것이다.

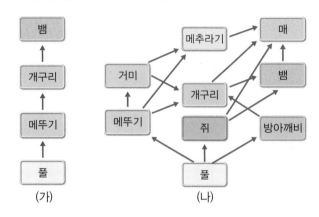

(가)                    (나)

문제 해결 Tip

생물 다양성이 높은 생태계와 생물 다양성이 낮은 생태계에서 먹이 사슬로 연결된 생물을 통해 어떤 생물이 사라졌을 때 생태계에 미치는 영향을 알 수 있어.

(1) (가)와 (나) 중 생태계가 안정적으로 유지되는 것을 고르시오.

(2) (가)와 (나)에서 개구리가 사라졌을 때 생태계에 어떤 영향을 끼칠 지 서술하시오.

**2** 다음은 생물 다양성 보전을 위한 국제적 노력을 설명한 것이다.

> 국경을 초월해 이동하는 물새를 국제 자원으로 규정하고, 중요하고 보전 가치가 높은 습지를 지정하여 의무적으로 보전하도록 한다.

문제 해결 Tip

생물 다양성 보전은 전 지구적 차원의 문제이므로 세계 여러 국가가 모여 국제 협약을 맺고 이행하려는 노력을 해야 해.

(1) 이 협약의 이름을 쓰시오.

(2) 이 협약이 생물 다양성 보전과 관련하여 중요한 까닭을 서술하시오.

## 3 그림은 생물의 5계를 핵막의 유무, 균사의 유무, 엽록체의 유무로 분류한 것이다.

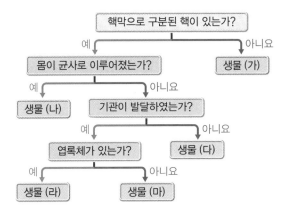

핵막으로 구분된 핵이 있는가?
예 → 몸이 균사로 이루어졌는가?
아니요 → 생물 (가)

예 → 생물 (나)
아니요 → 기관이 발달하였는가?

예 → 엽록체가 있는가?
아니요 → 생물 (다)

예 → 생물 (라)
아니요 → 생물 (마)

생물 (가)~(마)의 이름을 쓰고, 아래의 생물과 옳게 짝 지으시오.

> 대장균, 버섯, 미역, 고사리, 장수풍뎅이

● 문제 해결 **Tip**
생물은 세포 내의 핵막 유무, 기관의 발달 유무, 균사의 유무, 엽록체의 유무 등을 기준으로 원핵생물계, 원생생물계, 식물계, 균계, 동물계의 5계로 분류할 수 있어.

## 4 다음은 생물 다양성의 위기와 보전에 대해 학생들이 이야기를 나눈 것이다.

무분별한 개발과 환경 오염에 의한 서식지 파괴가 생물 다양성을 위협하는 가장 큰 원인이라고 할 수 있어. — 태영

생물 다양성 보전을 위해서는 개인적, 사회적, 국가적, 국제적 노력이 있어야 해. — 은서

맞아. 예를 들어 비오톱을 설치하거나 생태 통로를 설치하는 건 개인적 노력에 해당하지. — 준수

옳지 <u>않게</u> 말한 사람을 쓰고, 그 내용을 옳게 고치시오.

● 문제 해결 **Tip**
생물 다양성 보전을 위한 노력은 개인적, 사회적, 국가적, 국제적 노력으로 구분해 볼 수 있어.
개인적 노력은 개인 스스로 생물 다양성을 보전하기 위한 노력을 말하며, 쓰레기 덜 버리기, 생명을 함부로 해치지 않기, 멸종 위기종 동물을 애완용으로 기르지 않기 등이 있지.

**5** 그림은 건아가 학교 가는 날 아침에 일어난 일을 나타낸 것이다.

앗! 학교 가야 하는데 교복이 아직 안 말랐네! 이를 어쩌지?

아직 교복이 마르지 않았는데 어떻게 하면 교복을 빨리 말릴 수 있을까?

건아

은동: 선풍기를 틀어서 바람을 쐬게 해.

유미: 보일러를 틀어서 방 안의 온도를 좀 높여.

회동: 제습기를 틀어서 방 안의 습도를 좀 높여.

**문제 해결 Tip**
온도가 높을수록, 바람이 강하게 불수록, 습도가 낮을수록, 표면적이 넓을수록 증발이 잘 일어나.

(1) 빨래를 빨리 말리기 위한 방법을 옳지 <u>않게</u> 말한 사람을 쓰시오.

(2) (1)에서 답한 친구의 대화 내용을 옳게 고치시오.

**6** 그림은 효민이가 겪은 일을 나타낸 것이다. 이와 관련된 현상을 확산과 증발 중에서 골라 쓰시오.

아~ 맛있는 냄새!

천재 빵집

생선 굽는 냄새가 나네.

**문제 해결 Tip**
물질을 이루는 입자가 스스로 움직여 퍼져 나가기 때문에 우리가 냄새를 맡을 수 있는 거야.

**7** 그림은 온유가 지난 주말에 겪었던 일을 나타낸 것이다. 빈칸에 알맞은 말을 쓰시오.

산 위에 올라가 공기의 양이 적어지면 대기압이 낮아져 과자 봉지 속 기체의 부피가 (　　　)하여 과자 봉지가 팽팽하게 부풀게 돼.

◦ 문제 해결 **Tip**
일정한 온도에서 압력이 작아지면 기체의 부피는 증가하지.

**8** 그림은 은혜가 겪었던 일에 대해 친구와 나눈 대화를 나타낸 것이다. (　　　) 안에서 알맞은 것을 고르시오.

어제 여행을 마치고 한국에 도착했는데 비행기가 착륙을 하자 마개를 꼭 닫아 두었던 빈 페트병이 찌그러져 있는 거야. 이런 일이 왜 생긴 걸까?

그건 비행기가 착륙하면 운항 중일 때보다 대기압이 ( 낮아져 / 높아져 ) 페트병 속 기체의 부피가 ( 감소 / 증가 )하기 때문에 페트병이 찌그러진 거야.

◦ 문제 해결 **Tip**
일정한 온도에서 압력이 높아지면 기체의 부피는 감소하지.

Memo

# 굽은 허리를 꼿꼿하게!
# 허리 스트레칭

바르지 못한 자세로 오래 앉아 있게 되면, 허리 근육에 무리가 오고 통증으로 이어지게 됩니다. 내 몸의 중심인 허리 건강을 위해 꾸준한 스트레칭과 바른 자세가 무엇보다 중요하다는 것! 잊지 마세요.

❶ 의자에 앉아 무릎과 발 사이를 어깨너비 정도로 벌리고, 발은 11자 모양으로 반듯하게 놓습니다.

❷ 숨을 뱉으며 상체를 서서히 숙입니다. 허리를 편 상태에서, 가능한 만큼 숙여 주세요. 고개를 숙인 채로 30초간 2번의 자세를 유지합니다.

❸ 천천히 일어나 어깨를 펴고 두 손에 깍지를 낀 다음, 팔을 올려 오른쪽으로 당겨줍니다. 왼쪽도 똑같이 반복합니다.

※ 스트레칭도 좋지만, 자세가 바르지 못하면 허리에 지속해서 무리가 가니, 의식적으로 바른 자세로 앉는 것이 제일 중요합니다.

# 시작해 봐, 하루시리즈로!

## #기초력_쌓고!
## #공부습관_만들고!

### 시작은 하루 중학 국어

- 시
- 소설(개념)
- 소설(작품)
- 문법
- 비문학
- 수필

**이 교재도 추천해요!**

- 중학 국어 DNA 깨우기 시리즈 (비문학 독해 / 문법 / 어휘)

### 시작은 하루 중학 수학

- 1-1, 1-2
- 2-1, 2-2
- 3-1, 3-2

**이 교재도 추천해요!**

- 해결의 법칙 (개념 / 유형)
- 빅터연산

천재교육

# 정답과 해설

중학 ★ 바탕 학습
## 과학 1-1

시작은
## 하루
## 과학

# 정답과 해설
# 포인트

▶ 혼자서도 쉽게 이해할 수 있는 친절한 해설

▶ 오답을 피하는 방법 수록

▶ 해설을 보면서 다시 한번 개념 확인

# 1-1

하루과학

# 정답과
# 해설

# 정답과 해설

## 1주

### 1일 지권의 구조

**개념 원리 확인** p. 13, 15

**1**-1 (1) ⓒ (2) ⓔ (3) ⓒ (4) ⓜ (5) ⓖ  **1**-2 (1) 지구계

(2) 영향을 주고받으며 (3) 지구계  **1**-3 ④

**2**-1 (1) 지각 (2) 내핵 (3) 지진파 분석  **2**-2 (1) 외핵

(2) 4 (3) 맨틀 (4) 지각  **2**-3 ㄱ, ㄴ, ㄹ

**해설**

**1**-1 (1) 토양과 암석으로 이루어진 지구 표면과 지구 내부 영역을 지권이라고 한다.

(2) 해수, 빙하, 지하수, 강, 호수와 같이 물이 존재하는 영역을 수권이라고 한다.

(3) 지구 표면을 둘러싸고 있는 공기의 층을 기권이라고 한다.

(4) 사람을 포함한 지구에 사는 모든 생명체를 생물권이라고 한다.

(5) 기권 밖의 우주 공간을 외권이라고 한다.

**1**-2 (1) 우리가 사는 지구와 우주 공간이 이루는 하나의 계를 지구계라고 한다.

(2) 지구계를 구성하는 요소들은 서로 영향을 주고받으며 작용한다.

(3) 지구계는 지권, 수권, 기권, 생물권, 외권으로 이루어져 있다.

**1**-3 사람을 비롯하여 지구에 사는 모든 생명체를 말하며, 지권, 수권, 기권에 널리 분포하는 것에 해당하는 것은 생물권이다.

**2**-1 (1) 지권의 가장 바깥에 있는 층은 지각이다.

(2) 지권은 지각, 맨틀, 외핵, 내핵의 4개 층으로 구분한다.

(3) 지구 내부를 조사하는 가장 효과적인 방법은 지진파 분석이다.

**2**-2 (1) 외핵은 액체 상태이며, 주로 철과 니켈로 이루어져 있다.

(2) 지진파 분석을 통해 지권을 지각, 맨틀, 외핵, 내핵의 4개 층으로 구분한다.

(3) 맨틀은 지구 전체 부피의 약 80 %로, 지구 내부 구조 중 가장 많은 부피를 차지한다.

(4) 지각은 지권의 가장 바깥에 있는 층으로 고체 상태의 암석으로 이루어져 있으며 대륙 지각과 해양 지각으로 구분된다.

**2**-3 지구 내부 구조 모형을 살펴보면 지구 내부 구조는 지각, 맨틀, 외핵, 내핵의 4개 층으로 된 층상 구조를 이루고 있음을 알 수 있다. 지구 내부 구조에서 가장 얇은 층은 지각이고, 가장 두꺼운 층은 맨틀이다. 각 층의 두께를 일정한 비율로 줄여서 만든 모형은 지구 내부 구조를 한눈에 볼 수 있는 장점이 있다.

(오답 풀이) ㄷ. 빨간색 고무찰흙은 외핵, 노란색 고무찰흙은 내핵으로 외핵은 액체 상태, 내핵은 고체 상태이다.

### 1일 기초 집중 연습 p. 16~17

**1**-1 ③  **1**-2 ④  **1**-3 ③  **2**-1 ③

**2**-2 ①  **2**-3 ①

**해설**

**1**-1 (가)는 수권으로, 지구상의 물이 존재하는 영역이다. 해수, 빙하, 지하수, 강, 호수 등이 수권에 해당하여 그중 해수가 수권의 대부분을 차지한다. (나)는 지권으로, 토양과 암석으로 이루어진 지구의 표면과 지구의 내부 영역이다. 대부분 고체 상태로 생명체가 살아가는 데 필요한 공간과 여러 가지 물질을 제공한다. (다)는 외권으로, 기권 바깥의 우주 공간이다. 지구계의 주요 에너지원은 외권에 있는 태양으로부터 오는 태양 에너지이다.

**1**-2 지구계를 구성하는 요소들이 서로 영향을 주고받으면서 다양한 자연 현상이 일어난다.

(오답 풀이) ㄱ. 외권은 기권 바깥의 우주 공간으로 태양, 달 등의 천체를 포함한다.

**1**-3 ㄱ. 바닷물은 수권의 영역이고, 바닷물이 증발하여 기권의 영역인 구름이 되었으므로 수권과 기권이 서로 영향을 주고받았음(C)을 알 수 있다.

ㄴ. 바깥 날씨가 추워졌다는 것은 기온이 내려간 것이므로 기권의 영역이고, 감기 관련 환자는 생물권을 의미하므로 기권과 생물권이 서로 영향을 주고받았음(D)을 알 수 있다.

[오답 풀이] ㄷ. 화산은 지권의 영역이고, 화산이 폭발하여 생긴 화산재가 기권인 대기 중으로 퍼져나갔으므로 지권과 기권이 서로 영향을 주고받았음을 알 수 있다.

**2-1** A는 내핵, B는 외핵, C는 맨틀, D는 지각이다. 맨틀(C)은 고체 상태의 암석으로 이루어져 있으며 지구 전체 부피의 약 80 %로 가장 많은 부피를 차지한다.

[오답 풀이] ① 내핵(A)은 고체 상태이며, 철과 니켈 등 무거운 물질로 이루어져 있다.
② 외핵(B)은 액체 상태이며, 철과 니켈 등 무거운 물질로 이루어져 있다.
④ 지각(D)은 지권의 가장 바깥에 있는 층으로, 대륙 지각과 해양 지각으로 구분하며 대륙 지각이 해양 지각보다 두껍다.
⑤ 맨틀(C)을 구성하는 물질의 일부가 녹으면 마그마가 형성된다.

**2-2** 지진파를 분석하는 것은 지구 내부 구조를 조사할 수 있는 가장 효과적인 방법이다.

**2-3** 지구 전체 부피의 약 80 %로 가장 많은 부피를 차지하는 맨틀은 지각 아래부터 깊이 약 2900 km까지의 층으로, 고체 상태의 암석으로 이루어져 있다. 맨틀의 구성 물질이 녹으면 마그마가 만들어진다.

**2일** 다양한 암석(1)

**개념 원리 확인**                              p. 19, 21

**1-1** (1) A: 화산암, B: 심성암 (2) B   **1-2** (1) 화성암
(2) 심성암 (3) 크다 (4) 크기   **1-3** (1) ㉠ (2) ㉡ (3) ㉠ (4) ㉡
**2-1** 굳어짐   **2-2** (1) 층리 (2) 화석   **2-3** A: 역암,
B: 사암, C: 셰일

해설

**1-1** (1) A에서는 지표에 흘러나온 마그마가 빠르게 식어서 암석이 만들어지는데, 이를 화산암이라고 한다. B에서는 지하 깊은 곳에서 마그마가 천천히 식어서 암석이 만들어지는데, 이를 심성암이라고 한다.
(2) 마그마가 지표 부근(A)에서 빨리 냉각되면 알갱이의 크기가 작은 화산암이 되고, 지하 깊은 곳(B)에서 천천히 냉각되면 알갱이의 크기가 큰 심성암이 된다.

**1-2** (1) 마그마가 식어 굳어져서 만들어진 암석을 화성암이라고 한다.
(2) 마그마가 지하 깊은 곳에서 천천히 식어서 만들어진 화성암은 심성암이다.
(3) 마그마가 지하 깊은 곳에서 천천히 식어서 만들어진 암석의 알갱이 크기는 크다.
(4) 화성암은 암석의 색과 암석을 구성하는 알갱이의 크기에 따라 구분할 수 있다.

**1-3** 암석의 색과 암석을 구성하는 알갱이 크기에 따라 화성암을 구분한다.

**개념 체크+**   **화성암의 종류**

| 암석의 색 / 알갱이 크기 | 어둡다 ←———— | ————→ 밝다 |
| --- | --- | --- |
| 작다(화산암) | 현무암 | 유문암 |
| 크다(심성암) | 반려암 | 화강암 |

**2-1** 퇴적물이 물이나 바람 등에 의해 운반되어 쌓이면 위쪽 퇴적물의 무게에 눌려 아래쪽 퇴적물이 다져진다. 이때 물속에 녹아 있는 물질이 퇴적물을 결합시켜 굳어져 퇴적암이 생성된다.
• 퇴적암의 생성 과정: 퇴적물 운반 → 쌓임 → 다져짐 → 굳어짐 → 퇴적암 생성

**2-2** (1) 층리는 크기나 종류가 다른 퇴적물이 번갈아 쌓여 나타난 줄무늬이다.
(2) 화석은 과거에 살았던 생물의 유해나 흔적이 굳어져 암석에 남은 것이다.

# 정답과 해설

**2-3** 해안에서 먼 바다로 갈수록 자갈 → 모래 → 진흙 순으로 퇴적되므로 퇴적물의 크기가 작아진다. 따라서 A에서는 주로 자갈로 이루어진 역암이, B에서는 주로 모래로 이루어진 사암이, C에서는 진흙으로 이루어진 셰일이 만들어진다.

**개념 체크⁺  퇴적암의 종류**

| 주요 퇴적물 | 크다 ← 퇴적물 크기 → 작다 | | |
|---|---|---|---|
| | 자갈 | 모래 | 진흙 |
| 퇴적암 | 역암 | 사암 | 셰일 |

---

## 2일 기초 집중 연습    p. 22~23

**1-**1 ①, ⑤    **1-**2 현무암    **1-**3 ④    **2-**1 ③
**2-**2 ⑤    **2-**3 ②

**해설**

**1-1** A에서 만들어진 암석은 지표에서 마그마가 빨리 식어 만들어진 화산암이다.
암석을 구성하는 알갱이의 크기는 마그마의 냉각 속도에 따라 달라진다. 마그마가 빠르게 식으면 알갱이의 크기가 작고, 마그마가 천천히 식으면 알갱이의 크기가 크다. 그러므로 A에서는 마그마가 지표에서 빨리 식어서 알갱이의 크기가 작은 화산암이 만들어진다. 반대로 지하 깊은 곳에서는 마그마가 천천히 식어서 알갱이의 크기가 큰 심성암이 만들어진다.

(오답 풀이) ① 화석은 퇴적암에서 발견된다.
⑤ A에서 생성된 화성암은 구성하는 알갱이의 크기가 지하 깊은 곳에서 생성된 화성암에 비해 작다.

**1-2** 화성암에서 알갱이의 크기가 큰 암석은 화강암과 반려암이며, 화강암은 암석의 색이 밝고 반려암은 어둡다. 알갱이의 크기가 작은 암석은 유문암과 현무암이며, 유문암은 암석의 색이 밝고 현무암은 어둡다. D는 알갱이 크기가 작고 어두우므로 현무암이다. A는 화강암, B는 반려암, C는 유문암이다.

**1-3** 마그마가 지표에서 빠르게 식으면 암석을 구성하는 알갱이가 커질 시간이 부족하기 때문에 알갱이의 크기가 작다(화산암). 마그마가 지하 깊은 곳에서 천천히 식으면 알갱이가 커질 시간이 충분하기 때문에 알갱이의 크기가 크다(심성암).

**2-1** 크기가 작은 퇴적물일수록 가벼워서 해안에서 먼 곳까지 운반된다. 따라서 해안에 가까운 A에서는 주로 자갈이 퇴적되어 역암이 생성되고, B에서는 주로 모래가 퇴적되어 사암이 생성되며, 해안에서 먼 C에서는 진흙이 퇴적되어 셰일이 생성된다.

(오답 풀이) ① A에서는 주로 자갈이 쌓인다.
② B에서는 주로 모래가 퇴적되어 사암이 생성된다.
④ A~C에서 만들어지는 암석은 퇴적암이다.
⑤ 엽리는 변성암에서 나타나는 특징이다.

**2-2** 퇴적암은 퇴적물이 다져지고 굳어져서 만들어진 암석으로, 지표에 드러난 암석이 시간이 지나면서 풍화·침식 작용을 받아 퇴적물이 되고, 이 퇴적물이 쌓여 다져진 후 굳어져서 만들어진 암석이다.

**2-3** 층리와 화석은 퇴적암의 특징이다.

(오답 풀이) ② 암석 표면에 기체가 빠져나간 흔적이 나타나는 암석은 화성암인 현무암이다.

---

## 3일 다양한 암석(2)

### 개념 원리 확인    p. 25, 27

**1-**1 엽리    **1-**2 수직    **1-**3 (1) ㉠ (2) ㉢ (3) ㉡
**2-**1 암석의 순환    **2-**2 ㉠ 화성암 ㉡ 퇴적암 ㉢ 변성암
**2-**3 ㉠ 퇴적암 ㉡ 변성암 ㉢ 화성암

**해설**

**1-1** 엽리는 변성암에서 볼 수 있는 특징으로, 암석의 알갱이가 작용한 압력 방향에 수직 방향으로 배열되면서 생긴 줄무늬이다.

**1-2** 암석이 지하 깊은 곳에서 압력을 받으면 알갱이가 압력의 수직 방향으로 배열되면서 줄무늬가 생기는데, 이 줄무늬를 엽리라고 한다.

**1-3** 편마암은 셰일, 규암은 사암, 대리암은 석회암이 열과 압력을 받아 변성된 것이다.

**2-1** 기존의 암석이 잘게 부서지는 작용이나 지각 변동 등으로 인해 끊임없이 다른 형태의 암석으로 변하는 과정을 암석의 순환이라고 한다.

**2-2** 암석이 지하 깊은 곳에서 높은 열을 받아 녹으면 마그마가 된다. 마그마가 식어 굳어지면 화성암(㉠)이 된다. 화성암이 잘게 부서지면 퇴적물이 되고, 퇴적물이 다져지고 굳어지면 퇴적암(㉡)이 된다. 퇴적암이 높은 열과 압력을 받아 성질이 변하면 변성암(㉢)이 된다. 이처럼 암석은 끊임없이 다른 암석으로 변한다.

**2-3** 지표의 암석은 잘게 부서져 퇴적물이 되고, 이 퇴적물이 다져지고 굳어지면 퇴적암이 된다. 암석이 지하 깊은 곳에서 높은 열과 압력을 받으면 변성암이 되고, 더 높은 열과 압력을 받아 녹으면 마그마가 된다. 마그마가 식어 굳어지면 화성암이 된다. 지표에 노출된 암석은 오랜 시간에 걸쳐 다시 부서지고 깎인다.

---

**3일** **기초 집중 연습** p.28~29

| | | | |
|---|---|---|---|
| **1-1** ④ | **1-2** ④ | **1-3** ⑤ | **2-1** ③ |
| **2-2** ② | **2-3** ④ | | |

해설

**1-1** 고무찰흙을 손으로 눌렀을 때 고무찰흙 속 알갱이에 힘을 가한 방향의 수직으로 줄무늬가 생기는 것을 볼 수 있다. 이러한 줄무늬를 엽리라고 하고, 이는 높은 열과 압력에 의해 기존의 암석이 변성되어 만들어진 변성암에서 볼 수 있는 특징이다.

오답 풀이 ① 층리는 퇴적암의 특징이다.
② 화석은 퇴적암의 특징이다.
③ 마그마가 지표에서 빨리 식어서 만들어진 암석은 화산암이다.

⑤ 지하 깊은 곳에서 만들어진 마그마가 천천히 식어 굳어져 만들어진 암석은 심성암이다.

**1-2** 변성암은 높은 열과 압력을 받아 만들어진 암석으로, 엽리가 나타나기도 한다. 변성암은 기존 암석의 종류와 변성 정도에 따라 다양하게 만들어진다.

오답 풀이 ④ 암석이 시간이 지나면서 풍화·침식 작용을 받아 만들어진 것은 퇴적물로, 퇴적물이 다져지고 굳어져서 만들어진 암석이 퇴적암이다.

**1-3** 암석은 생성 과정에 따라 화강암, 퇴적암, 변성암으로 구분할 수 있다. 화산 활동으로 만들어진 암석은 화성암이며, 화성암 중 마그마가 지하 깊은 곳에서 천천히 식어 만들어진 암석을 심성암, 마그마가 지표에서 빨리 식어서 만들어진 암석을 화산암이라고 한다. 변성암은 높은 열과 압력에 의해 기존의 암석이 변성되어 만들어진다.

**2-1** A는 암석이 잘게 부서져 퇴적물이 되는 작용, B는 암석이 녹아 마그마가 되는 과정, C는 마그마가 식어 화성암이 되는 과정이다. D는 기존의 암석이 땅속 깊은 곳에서 높은 열과 압력에 의해 변성되어 변성암이 되는 과정, E는 퇴적물이 다져지고 굳어져 퇴적암이 되는 과정이다.

**2-2** 암석은 생성된 그대로 있는 것이 아니라 잘게 부서지는 작용이나 지각 변동으로 인해 다른 암석으로 변하는데, 이처럼 암석이 끊임없이 다른 암석으로 변하는 과정을 암석의 순환이라고 한다. (가)는 퇴적암으로, 퇴적물이 다져지고 굳어져 만들어진다. (나)는 변성암으로, 기존 암석이 높은 열과 압력을 받아 변성되어 만들어진 암석이다. (다)는 화성암으로, 마그마가 식어서 굳어진 암석이다.

**2-3** 암석은 잘게 부서지는 작용이나 지각 변동 등의 주변 환경 변화에 따라 끊임없이 다른 암석으로 변하는데, 이를 암석의 순환이라고 한다. 암석이 지하 깊은 곳에서 열과 압력을 받으면 변성암이 된다.

오답 풀이 ㄱ. 기존 암석이 풍화·침식 작용을 받아 잘게 부서지면 퇴적물이 되고, 퇴적물이 다져지고 굳어지면 퇴적암이 된다.

# 정답과 해설

## 4일 암석을 이루는 광물

| 개념 원리 확인 | p. 31, 33 |
|---|---|

**1-1** (1) 광물 (2) 조암 (3) 특성  **1-2** 색

**1-3** ㉠ 장석 ㉡ 석영

**2-1** (1) ㉢ (2) ㉡ (3) ㉠ (4) ㉣ (5) ㉤  **2-2** (1) 자성 (2) 염산

(3) 굳기 (4) 조흔색  **2-3** 은지

### 해설

**1-1** (1) 대부분의 암석은 여러 가지 광물로 이루어져 있다.
(2) 암석을 구성하는 주된 광물을 조암 광물이라고 한다.
(3) 광물은 서로 다른 광물과 구별할 수 있는 고유한 특성이 있다.

**1-2** 장석과 석영은 밝은색 광물이고 흑운모, 각섬석, 휘석은 어두운색 광물이다.

**1-3** 지각을 이루는 조암 광물의 부피 비는 장석(약 51 %)>석영(약 12 %)>휘석(약 11 %)>기타 순이다.

**2-1** (1) 자성은 쇠붙이를 끌어당기는 성질이다. ㉞ 자철석은 클립이나 핀과 같은 쇠붙이를 끌어당긴다.
(2) 굳기는 광물의 단단하고 무른 정도를 나타내는 것으로, 두 종류의 광물을 긁었을 때 무른 광물은 단단한 광물에 긁힌다. ㉞ 석영은 방해석보다 단단해서 석영과 방해석을 긁으면 방해석에 긁힌 자국이 남는다.
(3) 조흔색은 광물 가루의 색으로, 조흔판에 긁어서 확인한다. ㉞ 금, 황동석, 황철석은 겉으로는 모두 노란색을 띠지만 광물 가루의 색인 조흔색이 달라 이를 비교하면 구별할 수 있다.
(4) 방해석에 묽은 염산을 떨어뜨리면 이산화 탄소가 발생하여 거품이 생긴다.
(5) 일부 광물은 겉으로 보이는 색으로 구별할 수 있다.

**2-2** (1) 자철석은 자성이 있어 클립이 달라붙는다.
(2) 방해석에 묽은 염산을 떨어뜨리면 거품이 발생한다.
(3) 석영과 방해석은 색이 모두 투명하여 비슷해 보이지만 굳기를 이용하여 구별할 수 있다.
(4) 황동석과 황철석은 겉으로 보이는 색은 비슷하지만 조흔색이 다르므로 이를 통해 구별할 수 있다.

**2-3** 부피는 광물의 고유한 특성이 아니므로 부피를 측정하여 부피가 같은 것끼리 모으는 방법으로는 광물을 구분할 수 없다.

## 4일 기초 집중 연습

| 기초 집중 연습 | p. 34~35 |
|---|---|

**1-1** ③  **1-2** 해설 참조  **1-3** ⑤  **2-1** 혜리

**2-2** ④  **2-3** ②

### 해설

**1-1** 암석은 대부분 다양한 종류의 크고 작은 알갱이인 광물로 이루어진다. 지구에는 수천 종류의 광물이 있는데 그중 암석을 구성하는 주된 광물을 조암 광물이라고 한다.

**오답 풀이** ㄴ. 암석은 대부분 다양한 종류의 광물로 이루어져 있으며, 한 가지 광물로 이루어진 암석도 있다. ㄹ. 지각을 이루는 조암 광물 중 가장 많은 부피를 차지하는 광물은 장석이다.

**1-2** 암석을 이루는 기본 알갱이를 광물이라고 한다. 대부분 여러 종류의 광물이 모여 암석을 구성하며, 한 가지 광물로 이루어진 암석도 있다.

**모범 답안** 동영, 대부분 여러 종류의 광물이 모여 암석을 구성해.

**1-3** 화강암을 이루고 있는 광물 중 ㉠은 흑운모, ㉡은 석영, ㉢은 장석이다.

**2-1** (가)는 조흔판에 광물을 긁었을 때 나타나는 광물 가루의 색인 조흔색으로 광물을 구별하는 방법이다. 그 예로 금, 황동석, 황철석은 겉으로는 모두 노란색을 띠지만 광물 가루의 색인 조흔색은 각각 노란색, 녹흑색, 검은색으로 달라 이를 비교하면 광물을 구별할 수 있다. (나)는 클립이나 핀과 같은 쇠붙이를 끌어당기는 성질(자성)을 이용하여 광물을 구별하는 방법으로, 자철석은 자성이 있다.

**2-2** 방해석은 겉으로 보이는 색이 무색 또는 흰색이고, 조흔색은 흰색이다. 또한 묽은 염산을 떨어뜨렸을 때 거품(이산화 탄소)이 발생한다.

**2-3** 어두운색 광물인 자철석과 흑운모는 겉으로 보이는 색이 비슷하기 때문에 조흔판에 긁어 광물 가루의 색(흑운모: 흰색, 자철석: 검은색)을 확인하거나, 자철석에만 자성이 나타나므로 클립을 접촉하여 자성이 있는지 없는지를 비교하여 구별할 수 있다.

## 5일 풍화로 만들어진 토양

| 개념 원리 확인 | p.37, 39 |
|---|---|

**1-1** (1) 풍화 (2) 표면적 (3) 용해    **1-2** (1) ㉠ (2) ㉢ (3) ㉡

**1-3** (1) 작게 (2) 많을 (3) 낮은

**2-1** 토양    **2-2** (다) → (가) → (나)    **2-3** (1) D (2) B

**해설**

**1-1** (1) 지표의 암석이 오랜 시간에 걸쳐 잘게 부서지거나 성분이 변하는 현상을 풍화라고 한다.

(2) 암석이 잘게 부서질수록 표면적이 증가하므로 풍화가 잘 일어난다.

(3) 석회암 지대에서는 지하수에 의한 용해 작용이 활발하게 일어나 풍화가 일어난다.

**1-2** (1) 물에 의한 풍화 작용: 암석의 틈으로 스며든 물이 얼고 녹는 과정이 반복되면서 암석이 작은 조각으로 부서진다.

(2) 지하수에 의한 풍화 작용: 석회암 지대에서 지하수에 의한 용해 작용이 일어나 석회동굴이 만들어진다.

(3) 뿌리에 의한 풍화 작용: 암석의 좁은 틈에서 자라는 식물 뿌리가 성장하면서 암석의 틈을 벌려 암석이 부서진다.

**1-3** (1) 암석이 작게 부서질수록 공기나 물 등과 닿는 표면적이 증가하기 때문에 풍화가 잘 일어난다.

(2) 기온이 높고 강수량이 많은 경우 석회암의 풍화가 잘 일어난다.

(3) 기온이 낮은 지역에서 암석의 틈으로 스며든 물이 얼고 녹는 과정이 반복되면서 암석이 작은 조각으로 부서진다.

**2-1** 지표에 노출된 암석에서는 물, 공기, 식물 뿌리 등으로 인해 풍화 작용이 일어난다. 이러한 풍화 작용이 오랫동안 지속되면 단단한 암석이 잘게 부서지고 성분이 변하면서 식물이 자랄 수 있는 흙이 되는데, 이를 토양이라고 한다.

**2-2** 토양의 생성 과정: 암석이 풍화되어 잘게 부서지는 과정이 반복된다.(다) → 식물이 자랄 수 있는 토양이 만들어진다.(가) → 다양한 식물이 자라면서 토양이 두꺼워진다.(나)

**2-3** 토양은 D → C → A → B의 순서로 생성된다.

> **자료 분석⁺   토양을 이루는 층의 생성 순서**
>
> 토양 생성 순서: D → C → A → B
> - A: 생물 활동이 가장 활발한 층
> - B: 지표 부근의 토양에서 빗물에 녹은 물질과 진흙이 쌓여 만들어진 층
> - C: 암석의 풍화로 돌조각과 모래로 이루어진 층
> - D: 풍화 작용을 거의 받지 않은 암석층
>
>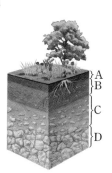

## 5일 기초 집중 연습    p.40~41

**1-1** ①, ③    **1-2** ①    **1-3** ④    **2-1** ⑤

**2-2** ①    **2-3** 해설 참조

**해설**

**1-1** (가)는 암석이 물의 어는 작용에 의해 풍화되는 것을 나타낸다. 암석의 틈으로 스며든 물이 얼면서 부피가 커지면 암석 틈이 점점 더 벌어진다. 이 과정이 반복되면서 암석은 작은 조각으로 부서진다.

(나)는 암석이 식물 뿌리의 작용에 의해 풍화되는 것을 나타낸다. 암석의 좁은 틈에서 자라는 뿌리는 성장하면서 암석의 틈을 벌리고, 점점 그 틈이 커지면서 암석이 부서진다.

# 정답과 해설

오답 풀이 ④, ⑤ 물이 어는 작용이나 식물 뿌리에 의해 암석이 잘게 부서지면 표면적이 증가하기 때문에 풍화가 잘 일어난다.

**1-2** 석회 동굴이 만들어지는 풍화 작용은 지하수의 용해 작용으로 일어난다.

**1-3** 풍화는 암석이 잘게 부서져 표면적이 증가할 경우, 강수량이 많은 경우, 기온이 낮은 경우, 기온이 높고 강수량이 많은 경우에 잘 일어난다.

오답 풀이 ㄴ. 암석이 잘게 부서져 표면적이 증가하면 주변의 물이나 공기 등과 접촉할 수 있는 표면적이 증가해 풍화가 잘 일어나게 된다.

**2-1** A는 생물 활동이 매우 활발한 층, B는 지표 부근의 토양에서 빗물에 녹은 물질과 진흙 등이 쌓여 만들어진 층, C는 암석의 풍화로 돌조각과 모래로 이루어진 층, D는 풍화 작용을 거의 받지 않은 암석층이다.

오답 풀이 ④ 토양이 생성되는 순서는 D → C → A → B이다.

**2-2** 오답 풀이 ② 성숙한 토양은 크게 4개 층을 이룬다.
③ 토양은 생물이 살 수 있는 터전이 된다.
④ 지표에서 가장 멀리 떨어져 있는 암석층이 가장 먼저 만들어진다.
⑤ 암석이 계속 풍화를 받으면 점차 두꺼운 토양층이 만들어진다.

**2-3** 토양은 자연적인 침식이나 도시 개발 등으로 유실될 수 있고, 기름 유출, 공장 폐수, 산성비 등으로 인해 오염되기도 한다. 한번 훼손된 토양을 원상태로 되돌리는 데는 매우 오랜 시간이 걸린다. 따라서 토양은 모든 생명체에게 필요한 자원임을 인식하고, 토양이 유실되거나 오염되지 않도록 보전해야 한다.

모범 답안 은수, 한번 훼손된 토양을 원상태로 되돌리는 데에는 오랜 시간이 걸리기 때문에 토양을 훼손하지 않도록 주의해야 해.

## 누구나 100점 테스트                    p. 42~43

| | | | |
|---|---|---|---|
| **01** ① | **02** ② | **03** ② | **04** ④ |
| **05** ⑤ | **06** 준수 | **07** ① | **08** C |
| **09** ㄴ, ㄷ | **10** ② | | |

### 해설

**01** 분출된 화산재가 대기로 날아가 햇빛을 가려 지구의 기온이 내려가는 것은 지권과 기권의 상호 작용에 해당한다.

**02** A는 지각, B는 맨틀, C는 외핵, D는 내핵이다. 이 중 지구에서 가장 많은 부피를 차지하는 것은 맨틀(B)이다.

오답 풀이 ① A는 지각으로, 대륙 지각이 해양 지각보다 더 두껍다.
③ C는 외핵이다.
④ D는 고체 상태이다.
⑤ C와 D는 주로 철과 니켈로 이루어져 있다.

**03** 암석이 높은 열과 압력을 받아 만들어지는 변성암에는 압력에 수직인 방향으로 만들어진 줄무늬인 엽리가 나타난다.

**04** A에서는 화산암, B에서는 심성암이 만들어진다. 화산암은 지표에 분출된 마그마가 빠르게 식어서 만들어진 암석으로, 암석을 구성하는 알갱이의 크기가 작다. 심성암은 마그마가 지하 깊은 곳에서 천천히 식어서 만들어진 암석으로, 암석을 구성하는 알갱이의 크기가 크다.

오답 풀이 ㄷ. A의 암석은 B의 암석에 비해 암석을 구성하는 알갱이의 크기가 작다.

**05** 지표에 드러난 암석이 시간이 지나면서 풍화·침식 작용을 받아 퇴적물이 되고, 이 퇴적물이 쌓여 다져지고 굳어져서 퇴적암이 만들어진다. 퇴적암에서는 과거에 살았던 생물의 유해나 흔적인 화석이 발견되기도 하며 층리가 나타나기도 한다.

**06** 암석은 생성 과정에 따라 화성암, 퇴적암, 변성암으로 구분한다.

**07** 암석은 생성된 그대로 있는 것이 아니라 잘게 부서지는 작용이나 지각 변동으로 인해 다른 암석으로 변하는데,

이처럼 암석이 끊임없이 다른 암석으로 변하는 과정을 암석의 순환이라고 한다. A는 마그마가 식어 굳어져 만들어진 화성암, B은 퇴적물이 다져지고 굳어져서 만들어진 퇴적암, C는 기존의 암석이 높은 열과 압력을 받아 만들어진 변성암이다.

**08** 광물의 단단하기를 비교하면 A>B이고, C>A이고, C>B이다. 이와 같은 결과를 종합하여 광물 A~C의 굳기를 비교해 보면 C>A>B이다.

**09** 석영은 묽은 염산과 반응하지 않지만, 방해석은 묽은 염산과 반응하여 이산화 탄소 기체가 발생한다. 또한 석영은 방해석보다 단단하므로 석영과 방해석을 서로 긁으면 방해석이 긁힌다.

**10** 그림은 암석 틈으로 스며든 물이 얼면서 부피가 커지면 암석 틈이 벌어져 작은 조각으로 부서지는 기계적 풍화를 나타낸 것이다.

[오답 풀이] ㄱ. 그림의 작용은 기온이 낮은 지역에서 잘 일어난다.
ㄷ. 석회암 지대에서 지하수에 의한 용해 작용이 활발하게 일어나면 석회 동굴 지형이 만들어진다.

---

## 특강 창의, 융합, 코딩    p. 46~49

**1** 0.35 cm   **2** 해설 참조   **3** (1) 묽은 염산에 반응하는가?
(2) B: 편마암, C: 역암    **4** 해설 참조    **5** ㉠ 화성암
㉡ 퇴적암 ㉢ 변성암   **6** A: 석영, B: 자철석   **7** (1) 준수
(2) 퇴적암 (3) 해설 참조    **8** 표면적

### 해설

**1** 비례식을 이용하여 지구 모형의 지각의 두께를 $x$로 하고 계산한다.
⟨비례식⟩ 실제 지구의 반지름 : 실제 지각의 두께 =
지구 모형의 지구 반지름 : 지구 모형의 지각 두께
$6400$ km : $35$ km $= 64$ cm : $x$
$x = \dfrac{35 \text{ km}}{6400 \text{ km}} \times 64$ cm $= 0.35$ cm
$x = 0.35$ cm

---

**2** 지구 내부를 조사하는 방법은 크게 직접적인 방법과 간접적인 방법으로 나뉜다. 직접적인 방법에는 직접 땅을 파서 조사하거나 화산이 분출할 때 나오는 물질을 분석하는 방법이 있다. 간접적인 방법에는 지진이 일어났을 때 지구 내부를 통과하여 지표에 전달되는 지진파를 분석하는 방법이 있는데, 이는 지구 내부의 깊은 곳까지 조사할 수 있는 가장 효과적인 방법이다.

[모범 답안] 지구 내부를 통과하는 지진파를 분석하면 돼.

**3** (1) 대리암에 묽은 염산을 떨어뜨리면 거품이 발생한다.
(2) 역암은 퇴적암, 편마암은 변성암이다. 평행한 줄무늬인 엽리는 변성암에서 나타나는 특징이므로 B는 편마암, C는 역암이다.

**4** 황철석과 황동석은 겉보기에 색이 비슷해 보여 겉으로만 봐서는 구분하기 어렵지만 조흔색을 비교해 보면 구별할 수 있다. 황철석의 조흔색은 검은색, 황동석의 조흔색은 녹흑색이다.

[모범 답안] 황철석과 황동석은 광물 가루의 색이 다르기 때문에 조흔판에 긁어 조흔색을 보고 구별할 수 있다.

**5** 마그마가 식어 굳어지면 화성암(㉠)이 되고, 퇴적물이 다져지고 굳어지면 퇴적암(㉡)이 된다. 기존의 암석이 높은 열과 압력을 받아 변성되면 변성암(㉢)이 된다.

**6** 석영와 방해석은 밝은색, 흑운모와 자철석은 어두운색 광물이다. 석영과 방해석 중 염산 반응을 하는 것은 방해석이고, 염산 반응을 하지 않는 것은 석영(A)이다. 흑운모와 자철석 중 자성이 있는 것은 자철석(B)이고, 자성이 없는 것은 흑운모이다.

**7** 그림은 퇴적물이 굳어져 생성된 퇴적암으로, 퇴적암에서는 크기나 종류가 다른 퇴적물이 번갈아 쌓여 생긴 나란한 줄무늬인 층리가 관찰된다. 엽리는 변성암에서 나타나는 특징이다.
(3) [모범 답안] 암석에서 퇴적암에서만 나타나는 나란한 줄무늬인 층리가 관찰되기 때문이다.

**8** 암석이 잘게 부서지면 표면적이 증가하고, 표면적이 증가할수록 풍화가 더욱 잘 일어난다.

# 정답과 해설

## 1일 움직이는 대륙

### 개념 원리 확인      p. 55, 57

**1-1** 대륙 이동설    **1-2** (1) ○ (2) × (3) ○    **1-3** (나)-(가)
-(다)

**2-1** (1) ○ (2) × (3) ○ (4) ○    **2-2** ㉠ 빙하 ㉡ 남극

**2-3** 대륙 이동설

#### 해설

**1-2** (2) 베게너의 대륙 이동설은 대륙 이동의 증거를 제시했
지만 대륙을 이동시키는 원동력을 설명하지 못하여 당
시에는 인정받지 못했다.

**1-3** (가)는 약 6천5백만 년 전, (나)는 약 3억 3천5백만 년
전, (다)는 현재의 대륙 분포이다.

**2-1** (2) 글로소프테리스 화석은 여러 대륙에 걸쳐 발견된다.

**2-2** 여러 대륙에 남아 있는 빙하의 흔적이 남극 대륙을 중
심으로 모아지는 것으로부터 과거에는 대륙이 한 덩어
리로 붙어 있었음을 알 수 있다. 이는 대륙 이동설을 뒷
받침하는 증거이다.

**2-3** 여러 대륙을 하나로 모았을 때 메소사우루스 동물 화석
과 글로소프테리스 식물 화석의 분포가 연결되는 것은
대륙 이동설을 뒷받침하는 증거이다.

### 1일 기초 집중 연습      p. 58~59

**1-1** ①    **1-2** ⑤    **1-3** ④    **2-1** ③    **2-2** ①

**2-3** ㉠ 산맥 ㉡ 빙하 ㉢ 화석 ㉣ 해안선

#### 해설

**1-1** 대륙 이동설은 과거에 한 덩어리였던 판게아가 갈라지

고 이동하여 현재와 같은 분포가 되었다는 학설이다.
그러므로 대륙들은 서로 멀어지는 방향으로 이동하였
음을 알 수 있다.

**1-2** 베게너는 대륙이 어떤 힘에 의해 이동하는지를 설명하
지 못하여 당시의 과학자들에게 인정받지 못하였다.

**1-3** 오답 풀이 ㄴ. 대륙들은 점점 멀어지는 방향으로 이동
하였다.

**2-1** 그림의 여러 대륙에 남아 있는 빙하의 흔적과 이동 방
향을 살펴보면 과거에는 남극을 중심으로 남아메리카,
아프리카, 인도, 오스트레일리아 대륙이 서로 붙어 있
다가 남극에서 멀어지는 방향으로 이동하였음을 알 수
있다. 이는 남극의 추운 곳에 있던 대륙이 적도 쪽으로
이동한 것이다.

오답 풀이 ㄷ. 그림의 적도 부근을 보면 빙하의 흔적이
있다.

**2-2** 세계의 지진대와 화산대가 거의 일치하는 것은 판 구조
론으로 설명할 수 있다.

**2-3** 대륙 이동설의 증거로는 해안선 모양, 산맥의 분포, 빙
하의 흔적, 화석의 분포 등이 있다.

#### 개념 체크⁺    대륙 이동설의 증거

| 해안선 모양 | 산맥의 분포 |
|---|---|
| <br>아프리카<br>남아메리카 | <br>산맥<br>북아메리카 유럽<br>아프리카 |
| 남아메리카 대륙과 아프리카 대륙의 해안선 모양이 거의 일치한다. | 북아메리카와 유럽 대륙의 산맥은 대륙을 하나로 모았을 때 잘 연결된다. |
| **빙하의 흔적** | **화석의 분포** |
| <br>아프리카<br>남아메리카 인도<br>남극 오스트레일리아 | <br>글로소프테리스<br>아프리카 인도<br>남아메리카<br>남극 오스트레일리아<br>메소사우루스 |
| 대륙에 남아 있는 빙하의 흔적을 남극 대륙 중심으로 연결하면 여러 대륙이 하나로 잘 연결된다. | 대륙을 하나로 모으면 메소사우루스 화석과 글로소프테리스 화석의 분포가 잘 연결된다. |

## 2일 지권의 운동

### 개념 원리 확인    p.61, 63

**1-1** (1) ㉠ 암석층 ㉡ 경계    **1-2** (1) × (2) ○ (3) × (4) ○

**1-3** ⑤

**2-1** (1) ○ (2) ○ (3) ○ (4) × (5) ×    **2-2** ㉠ 환태평양

㉡ 경계    **2-3** 일치함

**해설**

**1-1** 지구의 겉 부분은 여러 개의 판으로 이루어져 있는데, 이것은 지각과 맨틀의 상부를 포함한 단단한 암석층이다. 이 판들이 서로 다른 방향과 속도로 이동하면서 판과 판이 갈라지거나 부딪치거나 어긋나는 판의 경계에서 지진이나 화산 등의 지각 변동이 일어난다.

**1-2** (1) 대륙판의 두께는 약 100 km, 해양판은 약 70 km로, 대륙판이 해양판보다 두껍다.
(2)(3)(4) 지구 표면은 10여 개의 크고 작은 판으로 이루어져 있는데, 각 판의 이동 속도와 방향이 다르기 때문에 판의 경계에서는 지진과 화산 활동 등의 지각 변동이 일어난다.

**1-3** A는 판, B는 대륙 지각, C는 해양 지각, D는 맨틀이다.

[오답 풀이] ⑤ 맨틀(D)의 대류에 의해 판이 이동한다.

**자료 분석⁺    판의 구조**

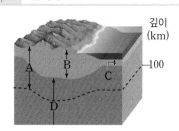

• 판(A)의 두께는 약 100 km이다.
• 지구 표면은 10여 개의 판으로 이루어져 있고, 우리나라는 유라시아판에 속한다.
• 판은 1년에 수 cm씩 천천히 이동하며, 이동 방향과 속도가 서로 다르다.
• 판은 크게 대륙판과 해양판으로 구분한다.
  ┌ 대륙판: 대륙 지각(B)이 있는 판
  └ 해양판: 해양 지각(C)이 있는 판

**2-1** (1) 지진이 활발하게 일어나는 지역을 지진대라고 한다.
(2) 화산 활동이 활발하게 일어나는 지역을 화산대라고 한다.
(3) 지진대와 화산대는 판의 경계와 거의 일치한다.
(4) 진도는 지진이 일어났을 때 어떤 지역에서 땅이 흔들린 정도나 피해 정도를 나타낸다.
(5) 규모는 지진이 발생한 지점에서 방출된 에너지의 양을 나타낸다.

**2-2** 태평양의 가장자리를 따라 고리 모양으로 분포하는 지진대와 화산대를 환태평양 지진대·화산대(불의 고리)라고 하며, 이는 판의 경계와 거의 일치한다. 이 지역에서는 지진과 화산 활동이 활발하게 일어난다.

**2-3** 그림 (가)와 (나)를 비교해 보면 지진 발생 지역과 화산 활동 지역이 거의 일치한다는 것을 알 수 있다.

### 2일    기초 집중 연습    p.64~65

**1-1** ⑤    **1-2** 판의 경계    **1-3** ⑤    **2-1** 온유    **2-2** ②

**2-3** ③

**해설**

**1-1** [오답 풀이] ⑤ 우리나라는 판의 경계에서 어느 정도 떨어진 위치에 있어서 상대적으로 일본에 비해 지진과 화산 활동이 활발하지 않다. 하지만 우리나라도 지진으로부터 안전하지는 않으므로 지진에 대비해야 한다.

**1-2** 판의 경계에서는 판의 움직임에 따라 판들이 서로 갈라지거나 부딪치고 어긋나면서 지진이나 화산 활동과 같은 지각 변동이 일어난다.

**1-3** A는 대륙 지각, B는 맨틀, C는 판, D는 해양 지각이다. A를 포함하는 판을 대륙판, D를 포함하는 판을 해양판이라고 한다.

**2-1** 화산 활동이 자주 일어나는 화산대와 지진이 자주 발생하는 지진대는 판과 판이 서로 부딪치거나 갈라지거나

어긋나는 판의 경계와 거의 일치한다. 이는 지진과 화산 활동이 주로 판의 경계에서 발생함을 뜻한다.

오답 풀이 온유: 그림의 지진대와 화산대를 비교해 보면 지진의 분포가 화산의 분포보다 훨씬 많다. 따라서 지진이 발생하는 곳에서 항상 화산 활동이 함께 발생하지는 않음을 알 수 있다.

**2-2** 규모는 지진에 의하여 발생된 에너지의 양을 등급화하여 지진 자체의 절대적 크기를 나타내는 척도로, 숫자가 클수록 강한 지진이다. 진도는 지진이 발생했을 때 땅이 흔들린 정도나 피해 정도를 수치로 나타낸 것으로, 일반적으로 지진 발생 지점에 가까운 곳일수록 피해 정도가 크고 숫자가 크다.

오답 풀이 ㄱ. 규모의 숫자가 작을수록 약한 지진이다. ㄷ. 규모는 지진 발생 지점으로부터의 거리에 관계없이 일정하다. 지진 발생 지점에서 멀어질수록 작아지는 것은 진도이다.

**2-3** 지진과 화산 활동은 주로 판의 경계에서 발생하기 때문에 지진대와 화산대의 분포는 거의 일치하며 특정 지역에 좁고 긴 띠 모양으로 분포한다. 특히 태평양 가장자리에서 지진과 화산 활동이 매우 활발하게 일어나는데, 이곳을 환태평양 지진대·화산대(불의 고리)라고 한다.

오답 풀이 ㄴ. 지진대와 화산대는 특정 지역에 좁고 긴 띠 모양으로 분포한다.

### 3일 중력

**1-1** (1) 중력 (2) 지구 중심 (3) N    **1-2** ①    **1-3** ④
**2-1** 중력    **2-2** ②    **2-3** ①, ③

해설

**1-1** (1) 지구가 지구상의 모든 물체를 끌어당기는 힘을 중력

이라고 한다.
(2) 지구 중력이 작용하는 방향은 지구 중심 방향이다.
(3) 중력의 크기를 나타내는 단위는 N(뉴턴)이다.

**1-2** 중력의 크기는 물체의 질량에 비례한다.

오답 풀이 ㄴ. 중력의 크기는 측정 장소에 따라 변한다. 예를 들어 달에서의 중력의 크기는 지구에서의 약 $\frac{1}{6}$배이다.
ㄷ. 중력은 지표로부터 떨어져 있는 물체뿐만 아니라 지구상의 모든 물체에 작용한다.

**1-3** 지구상의 모든 물체는 지구 중심 방향으로 중력을 받기 때문에 (가) 물체가 움직이는 방향은 c이고, (나) 물체가 움직이는 방향은 e이다.

**2-1** 높은 곳에 괴어 있는 물이 아래로 흘러내리고 힘껏 뛰어올랐으나 곧 아래로 떨어지는 것은 지구 중력이 작용하기 때문이다.

**2-2** 낙엽이나 던져 올린 공이 아래로 떨어지고 고드름이 아래쪽으로 얼어붙고 또 지표로부터 높이 올라갈수록 공기가 희박한 까닭은 모두 지구 중력이 지구 중심으로 작용하기 때문이다.

오답 풀이 ② 헬륨 풍선이 하늘 높이 올라가는 것은 공기가 헬륨 풍선을 위로 밀어 올리는 힘이 작용하기 때문이다.

**2-3** 높이 점프한 사람이 바로 아래로 떨어지는 것은 지구의 중력이 작용하기 때문이다. 지구의 중력은 지구가 물체를 당기는 힘으로, 항상 지구 중심 방향으로 작용한다.

오답 풀이 ② 중력은 지구상에서뿐만 아니라 달을 비롯한 다른 천체에서도 작용한다.
④ 중력의 크기는 질량이 클수록 크게 작용한다. 중력의 크기는 무게이다. 예를 들어 몸집이 큰 사람이 작은 사람보다 몸무게가 크다. 따라서 질량이 크면 무게, 즉 중력의 크기가 크다.
⑤ 중력의 크기는 측정 장소에 따라 달라진다. 예를 들어 달에서의 중력은 지구에서의 $\frac{1}{6}$배이다.

**해설**

**1-1** 지구 중력이 작용하는 방향은 지구 중심 방향이다. 중력은 당기는 힘으로 작용한다. 또한 중력은 지구뿐만 아니라 달 등 다른 천체에서도 작용한다. 다이빙대에서 뛰어내린 선수가 아래로 떨어지는 것은 중력을 받기 때문이다.

오답 풀이 ③ 중력의 크기는 각각의 물체가 가지는 질량에 비례한다. 따라서 물체의 질량에 따라 작용하는 중력의 크기가 다르다.

**1-2** 차 올린 축구공이 계속 날아가지 않고 아래로 떨어지는 것은 어떤 위치에 있는 상관없이 항상 지구의 중력이 작용하기 때문이다.

**1-3** 지구상의 모든 물체에는 지구 중심 방향으로 지구의 중력이 작용한다.

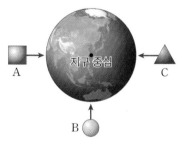

따라서 A와 C처럼 서로 지구 반대편에 있는 물체도 지구 밖으로 나가지 않고 지구 중심 쪽으로 중력을 받는다.

**1-4** 물체의 무겁고 가벼운 정도는 무게로 나타낸다.
ㄱ. 중력의 크기는 무게이므로 물체의 무겁고 가벼운 정도를 비교할 수 있다.
ㄷ. 무게는 질량에 비례하므로 같은 장소에서 질량이 큰 물체가 질량이 작은 물체보다 더 큰 중력을 받는다.

오답 풀이 ㄴ. 같은 물체에 작용하는 중력의 크기는 지구에서가 달에서보다 더 크다.

**2-1** 높은 곳에서 폭포수가 아래로 떨어지는 것은 지구 중력이 작용하기 때문이다. 운석이 지구로 떨어지고, 고드름이 아래로 길게 얼어붙고, 위로 던져 올린 공이 다시 아래로 떨어지고, 용수철을 늘어나게 하는 힘은 모두 지구의 중력에 의한 것이다.

오답 풀이 ⑤ 번지 점프 하는 사람이 가장 낮은 지점까지 떨어지는 순간 다시 튀어 오르는 것은 늘어난 줄이 다시 원래의 모습으로 되돌아가려는 힘을 작용하기 때문이다.

**2-2** 놀이 기구들이 아래로 떨어질 때 영향을 받는 힘은 지구의 중력이다. 중력은 당기는 힘으로만 작용하며 항상 지구 중심 방향으로 작용하고 질량이 클수록 크게 작용한다. 또 지표로부터 멀어질수록 중력의 크기가 점점 작아진다. 그 예로 지표로부터 높이 올라갈수록 대기가 점점 희박해지는 까닭도 중력의 크기가 지표로부터 멀어질수록 작아지기 때문이다.

오답 풀이 ⑤ 같은 물체의 경우 측정하는 장소에 따라 중력의 크기가 달라진다. 예를 들어 같은 물체라도 달에 가서 측정하면 지구에서 중력의 $\frac{1}{6}$배가 된다.

**2-3** 다이빙, 번지 점프, 수력 발전, 중력 센서는 모두 중력을 이용한 예이다.

오답 풀이 ③ 컴퓨터 자판을 눌렀다가 손을 떼면 제자리로 되돌아오는 것은 자판 아래의 탄성체가 변형될 때 원래대로 되돌아오려는 방향으로 힘이 작용하기 때문이다.

## 4일 무게와 질량

1-1 (1) 무게 (2) 질량 (3) 무게 (4) 질량    1-2 (1) 무게-①-ⓒ (2) 질량-②-㉠    1-3 ㉠ 윗접시 ⓒ 왼쪽 ⓒ 오른쪽 ㉣ 추

2-1 ㉠ 무게 ⓒ $\frac{1}{6}$    2-2 (1) ㉠ $\frac{1}{6}$ ⓒ 196 (2) 120 kg

2-3 ①, ③

**해설**

**1-1** (1), (3) 물체에 작용하는 중력의 크기는 무게이며, 무게는 용수철저울로 측정하고 단위는 N(뉴턴)을 쓴다.
(2), (4) 측정 장소에 관계없이 그 양이 변하지 않는 것은 질량이며, 질량은 양팔저울 또는 윗접시 저울로 측정하고 단위는 kg(킬로그램)을 쓴다.

**1-2** (1) 중력의 크기는 무게이며 단위로는 N을 쓰며, 측정 장소에 따라 크기가 변한다.
(2) 물체의 고유한 양은 질량이며 단위로는 kg을 쓰며 측정 장소에 따라 그 양이 변하지 않는다.

**1-3** 질량은 윗접시 저울로 측정하며 왼쪽 접시에 물체를 올려놓고 오른쪽 접시에는 추를 올려서 저울이 수평을 이룰 때 올려진 추의 질량을 모두 합하면 물체의 질량을 알 수 있다.

**2-1** 우주인이 무거운 우주복을 입고도 달에서 가볍게 이동할 수 있는 까닭은 달에서의 무게가 지구에서의 $\frac{1}{6}$배가 되기 때문이다.

**2-2** (1) 지구에서 질량 1 kg에 작용하는 중력의 크기는 9.8 N이므로 질량 120 kg인 우주인의 무게(N)=9.8×질량(kg)=9.8×120(kg)=1176(N)
달에서의 무게=㉠($\frac{1}{6}$)×1176 N=㉡(196) N
(2) 질량은 측정 장소에 관계없이 변하지 않는 물체의 고유한 양이므로 달에서도 우주인의 질량은 120 kg이다.

**2-3** ① 장난감은 100 g인 추 6개와 수평을 이루었으므로 질량이 600 g이다. 무게=9.8 ×0.6(kg)=5.88 N이다.
②~⑤ 질량은 장소에 따라 변하지 않는 물체 고유의 양이므로 지구에서 600 g인 장난감은 달에서도 질량이 600 g이다.

**해설**

**1-1** ㄱ, ㄴ. 무게는 질량에 비례하고, 질량은 물체의 고유한 양이므로 측정 장소에 관계없이 변하지 않는다.
오답 풀이 ㄷ. 무게는 물체에 작용하는 중력의 크기로 측정 장소에 따라 그 크기가 변한다. 예를 들면 달에서의 무게는 지구에서의 $\frac{1}{6}$배이다.

**1-2** 오답 풀이 ①, ② 중력의 크기는 무게이고, 무게의 단위는 N(뉴턴)을 사용한다.
③ 질량의 단위는 kg(킬로그램)을 쓴다.
⑤ 무게는 장소에 따라 크기가 변하지만 질량은 변하지 않는다.

**1-3** ② 측정 장소에 따라 변하지 않는 것은 물체의 고유한 양인 질량이다. 무게는 측정 장소가 바뀌면 크기가 변한다. 예를 들어 달에서의 무게는 지구에서의 $\frac{1}{6}$배이다.

**1-4** 물체가 가지고 있는 고유한 양, 즉 질량에 작용하는 중력의 크기는 무게이다. 즉 질량이 커지면 무게도 커진다. 따라서 무게는 질량에 비례한다.

**2-1** 무게는 용수철저울로, 질량은 윗접시 저울로 측정한다. 질량은 측정 장소에 따라 변하지 않으므로 지구에서 질량 60 kg인 물체는 달에서도 그대로 60 kg이다.
질량 1 kg에 작용하는 무게는 9.8 N이므로 질량이 60 kg인 물체의 무게(N)=9.8×60(kg)=588 N이고,
달에서의 무게=$\frac{1}{6}$×588 N=98 N이다.

**2-2** 무게는 중력의 크기이므로 중력이 작용하지 않는 무중력 상태에서는 모든 물체의 무게가 0이다.

**2-3** 지구와 달에서 윗접시 저울이 그대로 수평을 이루는 것으로부터 질량이 측정 장소가 바뀌어도 변하지 않는다는 것을 알 수 있다.
오답 풀이 ㄷ. 측정 장소가 바뀌어도 물체의 질량이 변하지 않고 일정함을 알 수 있다.

| 4일 기초 집중 연습 | | | p.76~77 |
|---|---|---|---|
| 1-1 ④ | 1-2 ④ | 1-3 ② | 1-4 ② |
| 2-1 ⑤ | 2-2 ⑤ | 2-3 ③ | |

## 개념 원리 확인      p.79, 81

**1-1** ㉠ 탄성력 ㉡ 반대 ㉢ 위    **1-2** (1) ← (2) → (3) ↑

**1-3** ②

**2-1** (1) 무게 (2) 개수 (3) 늘어난 길이    **2-2** 6    **2-3** 21 N

### 해설

**1-1** 용수철 위에 올려놓은 탁구공을 손으로 누르면 힘을 느낀다. 이것은 용수철이 원래 모양으로 되돌아가려는 방향으로 탄성력을 작용하기 때문이다. 이처럼 탄성력은 작용한 힘과 반대 방향으로 작용한다.

**1-2** 탄성력은 탄성체가 원래 모양으로 되돌아가려는 성질 때문에 나타나는 힘으로, 작용한 힘과 반대 방향으로 작용한다.

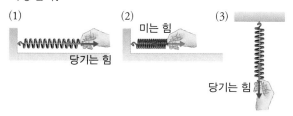

(1) 당기는 힘 (2) 미는 힘 (3) 당기는 힘

**1-3** 공은 고무와 공기의 탄성을 이용한다. 컴퓨터 자판과 스테이플러 속에는 탄성체인 용수철이 들어 있다.

[오답 풀이] 스케이트와 미끄럼틀은 마찰력을 이용하는 예이고, 나침반은 자석의 성질을 이용한 예이다.

**2-1** (3) 용수철에 추를 매달면 용수철의 전체 길이가 아니고 용수철의 늘어난 길이가 추의 무게에 비례한다.

**2-2** 용수철에 추를 매달면 용수철이 늘어난 길이는 추의 개수, 즉 무게에 비례한다. 표를 보면 추의 개수가 하나씩 늘어날 때 용수철이 늘어난 길이는 2 cm씩 커졌다.

**2-3** 용수철이 늘어난 길이는 매단 추의 수(=무게)에 비례하므로 용수철이 늘어난 길이 : 추의 수=3 : 1=21 : $x$, $x$=7(개). 추 1개의 무게는 3 N이므로 물체 무게 =7×3=21(N)이다.

**1-1** ④    **1-2** ⑤    **1-3** ④

**2-1** ③    **2-2** ③    **2-3** ②

### 해설

**1-1** 용수철의 A지점에 작용하는 힘은 오른쪽으로 10 N이다. 즉, 탄성력의 크기는 작용한 힘의 크기와 같고, 방향은 힘과 반대 방향이므로 10 N이 왼쪽으로 작용한다.

**1-2** 탄성력에는 탄성체에 힘을 가했다가 가한 힘을 제거해도 원래 모양으로 되돌아가지 못하는 탄성 한계가 있다. 예를 들어 볼펜 속 용수철을 지나치게 많이 늘였을 때 원래 모양으로 되돌아가지 않는다.

[오답 풀이] ⑤ 탄성력은 탄성체에 작용한 힘의 방향과 반대 방향으로 작용한다.

**1-3** 활, 장대, 다이빙대, 컴퓨터 자판은 모두 탄성력을 이용한 예이다.

[오답 풀이] ④ 등산화 바닥을 울퉁불퉁하게 만드는 것은 미끄러짐을 방지하기 위한 것이다.

**2-1** 탄성력은 외부에서 작용한 힘의 크기와 같고 외부에서 작용한 힘과 반대 방향으로 작용한다.

[오답 풀이] ③ 인형에 작용하는 중력의 방향이 아래 방향이므로 탄성력은 중력과 반대인 위 방향이다.

**2-2** 용수철이 늘어난 길이는 추의 수가 1개씩 증가할 때마다 3 cm씩 늘어났다. 용수철이 늘어난 길이는 추의 개수, 즉 무게에 비례한다.

[오답 풀이] ③ 용수철을 늘어나게 하는 힘은 추에 작용하는 중력이다.

### 자료 분석⁺    추의 무게와 용수철의 늘어난 길이

용수철이 늘어난 길이가 12 cm일 때 추의 무게는 8 N이다. 추 1개의 무게가 2 N이므로 매단 추의 수는 4개이다.

추     늘어난 길이(cm)    추의 무게(N)

기울기가 일정 → 늘어난 길이는 추의 무게에 비례

**2-3** 매단 물체의 무게와 비례하는 것은 용수철이 늘어난 길이이므로 늘어난 길이를 구해서 비례식을 세운다. 처음 길이가 10 cm이고 전체 길이가 20 cm이면 늘어난 길이는 20 cm－10 cm＝10 cm이다. 마찬가지로 가방을 매달았을 때 전체 길이가 30 cm이면 늘어난 길이는 30 cm－10 cm＝20 cm이다. 따라서 10 N인 추를 매달았을 때 늘어난 길이는 10 cm이므로, 10 N : 10 cm ＝ $x$ : 20 cm에서 가방의 무게 $x$＝20 N이다.

| 누구나 100점 테스트 | | | p.84~85 |
| --- | --- | --- | --- |
| **01** 판게아 | **02** ④ | **03** ① | **04** 은혜 |
| **05** ① | **06** ⑤ | **07** ① | **08** ⑤ |
| **09** ④ | **10** (1) 질량 6 kg, 무게: 9.8 N (2) B | | |

**해설**

**01** 대륙 이동설은 과거에 대륙이 하나로 붙어 판게아를 형성하였다가 여러 대륙으로 분리되어 현재와 같은 모습이 되었다는 학설로, 베게너가 주장하였다.

**02** 대륙 이동의 증거로는 해안선 모양, 산맥의 분포, 빙하의 흔적, 화석의 분포 등이 있다.

(오답 풀이) ㄹ. 지진파의 속도 변화로 알 수 있는 것은 지구 내부의 구조이다.

**03** 지진이 활발하게 일어나는 지역을 지진대, 화산 활동이 활발하게 일어나는 지역을 화산대라고 한다. 지진의 세기는 규모와 진도로 나타낸다.

(오답 풀이) ② 화산 활동과 지진은 대부분 판의 경계에서 일어나기 때문에 전 세계에서 고르게 발생하지 않는다.
③ 화산 활동이 자주 일어나는 지역을 화산대라고 한다.
④ 지진 활동이 자주 일어나는 지역을 지진대라고 한다.
⑤ 지진대와 화산대는 판의 경계와 거의 일치한다.

**04** 지진과 화산 활동과 같은 지각 변동은 주로 판의 경계에서 발생하기 때문에 지진과 화산 활동이 일어나는 지역은 거의 일치한다.

**05** 지구가 공을 지구 중심 방향으로 당기는 힘을 작용하기 때문에 공이 지표 쪽으로 떨어진다. 지구가 물체를 당기는 힘은 중력이다.

**06** 질량은 물체의 고유한 양이므로 크기를 잘라내지 않는 한 측정 장소에 관계없이 그 양이 변하지 않고 일정하다.

(오답 풀이) ① 질량은 물체의 고유한 양이다.
② 무게의 단위는 N을 사용한다.
③ 질량은 윗접시 저울 또는 양팔저울로 측정한다.
④ 물체의 무게는 N, 질량은 kg으로 나타내며 질량 1 kg인 물체의 무게는 9.8 N이므로 무게와 질량의 크기는 서로 다르다.

**07** 높은 곳에 있는 물이 아래로 떨어지는 것은 중력이 지구 중심 방향으로 당기는 힘을 작용하기 때문이다.

(오답 풀이) ②, ③, ④, ⑤는 모두 탄성체의 탄성력을 이용하는 예에 해당한다.

**08** 용수철이 늘어난 길이는 용수철에 작용한 힘에 비례한다. 필통을 매달았을 때 8 cm 늘어났고 필통의 무게를 $x$라고 하면 5 : 20＝8 : $x$, $x$＝32(N)

| 자료 분석+ | 용수철을 이용한 무게 측정 |
| --- | --- |

추의 무게가 증가할수록 용수철이 늘어난 길이가 일정하게 커졌으므로 용수철이 늘어난 길이는 추의 무게에 비례한다. 이 용수철은 20 N인 무게에 의해 5 cm 늘어났으므로 비례식을 세울 수 있다.

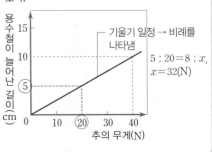

기울기 일정 → 비례를 나타냄

5 : 20＝8 : $x$,
$x$＝32(N)

**09** (A)는 지구 중력이 작용하여 나타나는 자연 현상이고, (B)는 고무줄이나 용수철 등 탄성체의 탄성력을 이용한 예이다.

**10** (1) 질량은 장소가 바뀌어도 변하지 않으므로 그대로 6 kg, 달에서의 무게는 지구에서의 $\frac{1}{6}$배이므로 6×9.8 ×$\frac{1}{6}$＝9.8(N)이다.

(2) 지구에서 무게가 9.8 N인 물체 A의 질량은 1 kg이다. 물체 B의 지구에서 무게는 9.8×6＝58.8(N), 질량 1 kg의 무게는 9.8 N이므로 58.8÷9.8＝6(kg), B의

질량은 6 kg이다. 따라서 질량이 큰 물체는 B이다.

p. 87 ✎ 재미있는 개념 완성 퀴즈

| ❹화 | 산 | ❷대 | 판 | 계 | 중 | 심 |
|---|---|---|---|---|---|---|
| 양 | ❸질 | ❻용 | 륙 | 무 | 아 | 층 |
| 수 | 량 | ❶중 | 수 | 이 | 게 | 지 |
| ❺탄 | 성 | 력 | 화 | 철 | 동 | 동 |
| 성 | 지 | 진 | 대 | 산 | 저 | 설 |
| 체 | 지 | 방 | 양 | 팔 | 저 | 울 |

p. 88~91    **1** 하나    **2** (1) 대륙 이동설 (2) 해설 참조
**3** 해설 참조    **4** 은송    **5** (1) 30 N (2) ㉠ 3 kg ㉡ 5 N
(3) 질량    **6** ㉠ 원래 ㉡ 커진다    **7** 유미, 은지    **8** (1) 1. 추의 무게 2. 용수철을 당기는 힘 (2) 0.4 N

**해설**

**1** 여러 대륙에 남아 있는 빙하의 흔적을 남극을 중심으로 연결하면 여러 대륙이 하나로 연결되는 것을 볼 수 있다. 이를 토대로 대륙들이 과거에 한 덩어리였음을 추론할 수 있다.

**2** (1) 베게너는 남아메리카 대륙과 아프리카 대륙의 마주 보는 해안선 모양이 거의 일치한다는 사실로부터 두 대륙이 원래는 한 덩어리였다고 생각하였다. 그리고 이를 뒷받침할 수 있는 여러 가지 증거들(해안선 모양, 화석의 분포, 빙하의 흔적, 산맥의 분포)을 조사하여 대륙 이동설을 발표하였다. 하지만 거대한 대륙을 이동시키는 원동력을 명확하게 설명하지 못했기 때문에 당시 과학자들에게 인정받지 못했다.
(2) **모범 답안** 대륙을 이동시키는 원동력이 무엇인지 설명하지 못했기 때문이다.

**3** 판과 판들이 만나는 경계에서는 판들이 이동하면서 서로 부딪치고, 갈라지고, 어긋나서 여러 가지 지각 변동이 일어나기 때문에 지진 발생 지역과 화산 활동 지역

이 거의 일치한다.

**모범 답안** 지진, 화산 활동 등의 지각 변동은 주로 판의 경계에서 발생하기 때문이다.

**4** 판의 경계에서는 서로 다른 판의 이동에 따라 판끼리 부딪치거나 갈라지거나 어긋나는 경우가 있는데, 이때 판과 판의 경계에 가까울수록 지진이나 화산 활동이 활발하게 일어난다. 일본은 유라시아판, 태평양판, 필리핀판이 만나는 경계에 가까이 있기 때문에 우리나라보다 지진과 화산 활동이 자주 일어난다.

**5** (1) 무게를 나타내는 단위는 N이므로 지구에서 몽몽이의 무게는 30 N이다.
(2) 질량을 나타내는 단위는 kg이므로 달에서 몽몽이의 질량은 3 kg, 무게는 지구에서의 $\frac{1}{6}$배이므로 $30 \times \frac{1}{6}$ =5(N)이다.
(3) 측정 장소가 바뀌어도 변하지 않는 것은 몽몽이의 질량이다.

**6** (가) 고무공을 아래로 누르면 손에 가해지는 힘은 위쪽으로 작용한다. 즉 고무공이 원래 모양으로 되돌아가려는 쪽으로 탄성력이 작용하기 때문이다. 또한 (가), (나)를 통해서 고무공이나 용수철에 작용하는 탄성력의 크기는 변형의 크기에 비례함을 알 수 있다.

**7** 탄성력의 방향은 작용한 힘과 반대 방향이고, 크기는 작용한 힘의 크기와 같다.

**오답 풀이** 동수: (가)에서 용수철에 왼쪽으로 힘이 작용하므로 탄성력은 오른쪽으로 작용해.
윤재: (나)에서 탄성력의 크기는 중력의 크기와 같으므로 $9.8 \times 1(kg) = 9.8(N)$이야.

**8** (1) 용수철에 추를 매달면 용수철이 늘어나게 하는 힘은 추에 작용하는 중력의 크기, 즉 추의 무게이다.
또한 용수철에 매다는 추의 수가 2개, 3개, 4개로 증가할 때 용수철이 늘어난 길이(cm)는 2, 4, 6, 8로 늘어난다. 따라서 용수철이 늘어난 길이는 용수철을 당기는 힘에 비례하고 용수철을 당기는 힘은 추의 무게와 같다.
(2) 물체 A를 매달았을 때 늘어난 길이가 8 cm이므로 100 g인 추 4개의 무게와 같음을 알 수 있다. 따라서 100 g에 작용하는 중력의 크기가 0.1 N이므로 물체 A의 무게는 $0.1 \text{ N} \times 4 = 0.4 \text{ N}$이 된다.

# 정답과 해설

## 1일 마찰력

### 개념 원리 확인     p. 97, 99

**1-1** (1) 마찰력 (2) 반대 (3) 운동    **1-2** 해설 참조

**1-3** (1) ①-㉠-ⓑ ②-㉡-ⓐ (2) 수현

**2-1** 마찰력    **2-2** ④    **2-3** ㄱ, ㄷ

**해설**

**1-1** 물체의 접촉면에서 물체의 운동을 방해하는 힘은 마찰력이다.

**1-2** 마찰력은 운동 방향과 반대 방향으로 작용한다.

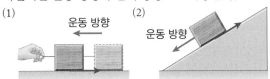

**1-3** (1) 마찰력의 크기는 접촉면의 거칠기가 클수록 크다.
(2) 양말 바닥에 고무를 붙이면 마찰력이 커져 미끄러짐을 방지할 수 있다.

**2-1** 컬링 경기는 마찰력을 이용한 경기로, 특수 재질로 만들어진 신발 밑바닥은 양쪽의 성질이 서로 다르다.

**2-2** 수영장의 미끄럼틀에 물을 흘려보내는 것은 마찰력의 크기를 작게 하는 것이다.

**2-3** 자동차의 스노체인, 등산화는 마찰력을 크게 하는 예이고, 스킨 슈트, 빙판 솔질은 마찰력을 작게 하는 예이다.

### 1일 기초 집중 연습     p. 101~102

**1-1** ①     **1-2** ⑤     **1-3** ③

**2-1** ⑤     **2-2** ③     **2-3** ⑤

**해설**

**1-1** 마찰력의 방향은 물체의 운동 방향과 반대 방향이다.

**1-2** 마찰력은 접촉면이 거칠수록 크고, 물체의 운동을 방해하는 힘이므로, 운동 방향과 반대 방향으로 작용한다.

오답 풀이 ⑤ 마찰력의 크기는 물체의 무게가 클수록, 접촉면의 거칠기가 클수록 크다.

**1-3** 물체가 움직이는 순간 용수철저울의 눈금은 나무 도막에 작용하는 마찰력의 크기이다. 마찰력의 크기는 물체의 무게, 즉 면을 누르는 힘에 비례한다.

오답 풀이 ㄷ. 같은 나무판 위에서 같은 나무 도막이 접촉해 있으므로 접촉면의 거칠기는 (가)=(나)이다.

**2-1** 미끄럼틀에 물을 흘려보내면 마찰력의 크기가 작아져 쉽게 미끄러지게 된다.

**2-2** ① 목욕탕 입구의 발 매트, ② 굴러가는 공이 멈추게 됨. ④ 스키보드의 매끄한 면, ⑤ 매듭을 위한 거친 끈은 마찰력을 크게 또는 작게 이용하는 생활의 예이다.

오답 풀이 ③ 고속도로 주변의 대형 방음벽은 소리의 전파를 막기 위한 장치이다.

**2-3** 접촉면이 거칠수록 미끄러져 내겨가는 순간의 각도가 크다. 또 미끄러지는 각도가 클수록 미끄러져 내려가는 순간의 마찰력이 크다. 따라서 접촉면이 거칠수록 마찰력의 크기가 커진다.

오답 풀이 ⑤ 이 실험을 통해 도로의 경사면을 거칠게 하면 마찰력의 크기를 크게 할 수 있음을 알 수 있다.

## 2일 부력

### 개념 원리 확인     p. 103, 105

**1-1** (1) 부력 (2) A    **1-2** ②, ⑤    **1-3** ②

**2-1** ㉠ 부력 ㉡ 부력    **2-2** (1) (다) (2) 0.4 N (3) 부력

**2-3** ①, ⑤

**해설**

**1-1** 물에 오리 인형이 가라앉지 않고 떠 있는 까닭은 중력과 반대 방향인 위쪽으로 밀어 올리는 힘이 작용하기

때문이다.

**1-2** [오답 풀이] ① 물속에 가라앉은 물체에도 물속에서 물을 밀어낸 부피만큼의 부력이 작용한다.
③ 부력의 방향은 중력과 반대 방향이다.
④ 액체나 기체 속에서 부력은 중력과 반대 방향인 위쪽으로 작용한다.

**1-3** 부력을 이용하는 예에는 구명조끼, 유람선, 애드벌룬 등이 있다.
[오답 풀이] ㄴ. 컴퓨터 자판은 탄성력을 이용한 예이다.
ㅁ. 스킨 수영복은 마찰력을 이용한 예이다.

**2-1** 풍선에는 부력이 위쪽으로 작용하며 이때 풍선에 작용하는 부력의 크기가 중력의 크기보다 크기 때문에 풍선이 하늘로 올라가게 된다.

**2-2** (1) 물에 잠긴 추의 부피가 커질수록 용수철저울의 눈금은 작아지므로 용수철저울의 눈금이 가장 작은 때는 모두 잠길 때인 (다)이다.
(2) (다)에서 용수철저울의 눈금 0.6 N은 추가 물에 모두 잠겼을 때의 무게, 즉 중력의 크기이다. 이때 부력의 크기=물에 잠기기 전 추의 무게−추가 물에 모두 잠겼을 때 무게=1.0 N−0.6 N=0.4 N이다.
(3) 물에 잠긴 추의 부피가 커질수록 증가하는 것은 부력이다.

**2-3** [오답 풀이] ② 모든 물체에는 중력이 작용하기 때문에 A와 B에는 중력이 아래로 작용한다.
③ C에도 부력은 위쪽으로 작용하지만 중력이 부력보다 크기 때문에 뜨지 못하고 가라앉아 있다.
④ A와 B가 밀어낸 물의 양이 다르기 때문에 작용하는 부력의 크기도 다르다. B가 A보다 밀어낸 물의 양이 더 많으므로 B가 A보다 더 큰 부력을 받는다.

[해설]

**1-1** 물체를 물에 띄우면 물체가 밀어낸 물의 양에 해당하는 무게만큼 가벼워진다.

**1-2** 배가 물에 뜨는 현상, 잠수함이 물속으로 가라앉고 뜨는 현상 등은 부력이 작용하는 예이다.
[오답 풀이] ㄴ. 우주 정거장에서 우주인들이 공중에 떠 있는 까닭은 우주 정거장은 무중력 상태이기 때문이다.

**1-3** 물체를 물에 잠기게 하면 물체에 부력이 작용하기 때문에 무게가 가벼워져 위쪽으로 올라간다.

**2-1** 물체를 물에 넣어 잠기게 할 때 물이 물체를 위로 밀어 올리기 때문에 힘이 든다. 이때 물에 잠기는 부피가 커질수록 부력의 크기가 더 커지기 때문에 손이 받는 힘의 크기도 점점 커진다.

**2-2** 물체 A, C는 수면 근처에 떠 있으므로 각각에 작용하는 부력과 중력은 크기가 같고 방향은 서로 반대이다. 이때 물체 A가 밀어낸 물의 양이 C보다 작기 때문에 받는 부력의 크기도 A가 C보다 작다. 또한 물체 B는 바닥에 가라앉아 있기 때문에 중력이 부력보다 크다.

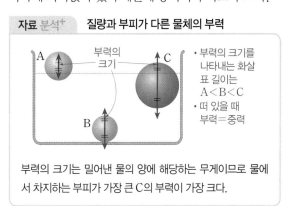

자료 분석⁺    **질량과 부피가 다른 물체의 부력**

부력의 크기는 밀어낸 물의 양에 해당하는 무게이므로 물에서 차지하는 부피가 가장 큰 C의 부력이 가장 크다.

**2-3** 물에 떠 있을 때 물체에 작용하는 중력=부력, 또 밀어낸 물의 양이 많을수록 부력이 크다. 즉 무거운 물체일수록 물에 잠긴 부피도 크고 물체가 밀어낸 물의 양도 많기 때문에 작용하는 부력도 크다.

# 정답과 해설

**자료 분석⁺  부피가 같은 물체의 부력**

- 밀어낸 물의 양이 많을수록 부력이 크게 작용함
- 떠 있을 때 부력＝중력

부력의 크기는 밀어낸 물의 양에 해당하는 무게이므로 물에 잠긴 물체의 부피가 큰 B의 부력이 A보다 크다.

---

## 3일  생명의 풍요로움, 생물 다양성

### 개념 원리 확인     p. 109, 111

**1-1** (1) 생태계 (2) 생태계   **1-2** (1) ○ (2) ×   **1-3** ㄱ, ㄷ, ㄹ

**2-1** (1) 종 다양성 (2) 유전자 다양성   **2-2** (1) × (2) ○

**2-3** 유전자 다양성

**해설**

**1-1** (1) 생물 다양성이란 일정한 지역에 사는 생물의 다양한 정도로, 생태계 다양성, 종 다양성, 유전자 다양성을 모두 포함한다.
(2) 생태계에는 습지, 산림, 강, 바다, 사막, 초원, 갯벌, 툰드라 등이 있다.

**1-2** (1) 생태계 다양성이란 일정한 지역에 존재하는 생태계의 다양한 정도를 말한다.
(2) 기후, 물, 토양 등 생태계를 이루는 환경은 그 속에서 살아가는 생물과 생태계의 형성에 영향을 미친다.

**1-3** 습지는 육지와 물을 이어주고 있어서 다양한 종의 생물이 서식한다. 따라서 습지 생태계를 보전하는 것은 다양한 종을 보존하는 데 중요하다.

**2-1** (1) 일정한 지역에서 살아가는 생물종의 다양한 정도를 종 다양성이라고 한다.
(2) 같은 종에 속하는 생물이 서로 다른 유전자를 가지

고 있기 때문에 크기와 생김새 등의 특징이 다양하게 나타나는 것을 유전자 다양성이라고 한다.

**2-2** (1) 일정한 지역에 살고 있는 생물종이 다양하면 생물 다양성이 높고, 생물종이 다양하지 않으면 생물 다양성이 낮다.
(2) 생물 다양성은 일정한 지역에 사는 생물의 다양한 정도로, 생태계 다양성, 종 다양성, 유전자 다양성을 모두 포함한다.

**2-3** 유전자 다양성은 같은 종에 속하는 생물이 서로 다른 유전자를 가지고 있기 때문에 크기와 생김새 등의 특징이 다양하게 나타나는 것을 말한다.

### 3일  기초 집중 연습     p. 112~113

| | | |
|---|---|---|
| **1-1** ② | **1-2** ③ | **1-3** ④ |
| **2-1** ④ | **2-2** ③ | **2-3** ④ |

**해설**

**1-1** 생물 다양성은 생태계 다양성, 종 다양성, 유전자 다양성을 모두 포함한다. 종 다양성은 일정한 지역에서 살아가는 생물종의 다양한 정도를 말하고, 유전자 다양성은 같은 종에 속하는 생물이 서로 다른 유전자를 가지고 있기 때문에 크기와 생김새 등의 특징이 다양하게 나타나는 것을 말하며, 생태계 다양성은 일정한 지역에 존재하는 생태계의 다양한 정도를 말한다.

**개념 체크⁺  생물 다양성**

생태계나 특정 지역에 사는 생물의 다양한 정도를 말한다.

| 구분 | 의미 |
|---|---|
| 생태계 다양성 | • 일정한 지역에 존재하는 생태계의 다양한 정도<br>• 생태계에 따라 살고 있는 생물이 다르므로 생태계가 다양할수록 생물 다양성이 높다. |
| 종 다양성 | • 일정한 지역에서 살아가는 생물종의 다양한 정도<br>• 생물의 종류가 많을수록 생물 다양성이 높다. |
| 유전자 다양성 | • 같은 종에 속하는 생물이 서로 다른 유전자를 가지고 있어 크기와 생김새 등의 특징이 다르게 나타나는 것<br>• 같은 종에 속하는 생물의 특징이 다양하게 나타날수록 생물 다양성이 높다. |

**1-2** 생물은 빛, 온도, 물, 계절, 바람 등의 환경 변화에 적응하여 살아간다.

**1-3** 생태계의 다양한 정도에 따라 생물 다양성은 달라진다. 생태계가 다양하면 생물 다양성이 높고, 생태계가 다양하지 않으면 생물 다양성이 낮다. 또한, 습지는 육지와 물을 이어주고 있어서 다양한 종의 생물이 서식한다.

[오답 풀이] ㄴ. 일정한 지역에서 살아가는 생물종의 다양한 정도는 종 다양성에 해당한다.

**2-1** 일정한 지역에 여러 종류의 생물이 고르게 분포하면 생물 다양성이 높으며, 생물 다양성은 생태계 다양성, 종 다양성, 유전자 다양성을 모두 포함한다.

[오답 풀이] ㄴ. 같은 종에 속하는 생물이라도 서로 다른 유전자를 가지고 있기 때문에 크기와 생김새 등의 특징이 다양하게 나타나는 것은 유전자 다양성에 해당한다.

**2-2** 같은 종의 생물 사이에서 나타나는 유전자 다양성은 생물 다양성을 결정하는 중요한 요소이다. 유전자 다양성이 높으면 생물 다양성도 높고, 유전자 다양성이 낮으면 생물 다양성도 낮다.

**2-3** 습지는 육지와 물을 이어주고 있어서 다양한 종의 생물이 서식하므로 생물 다양성이 높다. 따라서 습지 생태계를 보전하는 것은 다양한 종을 보존하는 데 중요하다.

---

**4일 환경에 따라 다양한 생물**

| 개념 원리 확인 | p. 115, 117 |
|---|---|

**1-1** (1) 환경 (2) 열    **1-2** (1) × (2) ○    **1-3** (1) 물살의 세기 (2) (가)

**2-1** (1) 변이 (2) 환경    **2-2** (1) ○ (2) ○    **2-3** ㄱ, ㄴ

---

해설

**1-1** (1) 생물은 빛, 온도, 물, 계절, 바람 등의 환경 변화에 적응하여 살아간다.
(2) 북극여우는 귀가 작고 몸집이 커서 열의 손실을 줄일 수 있다. 사막여우는 귀가 크고 몸집이 작은 편이어서 몸의 열을 방출하기 쉽다.

**1-2** (1) 바나나와 같은 잎이 넓은 식물은 체내의 수분을 쉽게 주위 환경으로 빼앗기게 된다.
(2) 눈신토끼는 겨울에 털색이 흰색으로 변해 눈 속에서 천적으로부터 몸을 보호할 수 있다.

**1-3** (1) 물살이 센 곳의 소라는 껍데기에 뿔이 발달하고, 물살이 약한 곳의 소라는 껍데기에 뿔이 없다.
(2) 물살이 센 곳의 소라는 껍데기에 뿔이 발달하여 물에 쉽게 떠내려가지 않는다.

**2-1** (1) 변이는 같은 종에 속하는 생물 사이에서 나타나는 서로 다른 특징을 말한다.
(2) 생물은 주변 환경의 차이에 따라 변이가 나타날 수 있다. 예를 들어 같은 나무의 열매 중 빛이 많이 비치는 곳에 달린 열매는 크고 빛깔이 좋지만, 그늘진 곳에 달린 열매는 그렇지 않다.

**2-2** (1) 다양한 생물이 가지는 여러 변이 중 환경에 적합한 변이를 가지는 생물은 번성하여 환경과 조화를 이루며 살아간다.
(2) 부모로부터 물려받은 유전자의 차이에 따라 변이가 나타날 수 있다. 예를 들어 같은 지역에 사는 한 종의 무당벌레의 겉날개 색깔과 무늬의 차이, 같은 지역에 사는 한 종의 달팽이의 껍데기 색깔과 무늬의 차이는 유전자 차이에 따른 변이이다.

**2-3** 변이는 같은 종에 속하는 생물 사이에서 나타나는 서로 다른 특징을 말하며, 환경의 차이나 유전자의 차이 또는 유전자와 환경의 상호 작용으로 나타날 수 있다.

[오답 풀이] ㄷ. 부모로부터 물려받은 유전자의 차이에 따라 변이가 나타날 수 있다.

# 정답과 해설

**4일** 기초 집중 연습     p. 118~119

**1**-1 ④     **1**-2 ④     **1**-3 ①     **2**-1 ④
**2**-2 ②     **2**-3 ④

### 해설

**1-1** 추운 지역에 사는 동물은 열의 손실을 막아 체온을 일정하게 유지해야 한다. 이때 몸의 표면적이 작을수록 열 손실이 적다.

   [오답 풀이] ㄷ. 사막여우는 귀가 크고 몸집이 작은 편이어서 몸의 열을 방출하기 쉽다.

**1-2** 여름의 눈신토끼는 털 색깔이 노란색이나 회색 또는 갈색을 띠며, 겨울의 눈신토끼는 털 색깔이 흰색으로 변해 눈 속에서 천적으로부터 몸을 보호할 수 있다.

**1-3** 평지에 비해 높은 산 위는 바람이 강하게 불기 때문에 눈잣나무의 줄기가 땅에 붙어 옆으로 자라면 강한 바람에 견디기 유리하다. 반대로 바람의 세기가 약한 평지에서는 높은 산에서 자랄 때에 비해 바람의 영향이 작아서 눈잣나무의 줄기가 위로 곧게 자란다.

**2-1** 같은 종에 속하는 생물 사이에서 나타나는 서로 다른 특징을 변이라고 한다. 같은 지역에 사는 한 종의 무당벌레의 겉날개 색깔과 무늬의 차이는 부모로부터 물려받은 유전자의 차이에 의한 변이에 해당한다.

   [오답 풀이] ㄷ. 같은 나무의 열매 중 빛이 많이 비치는 곳에 달린 열매는 크고 빛깔이 좋지만, 그늘진 곳에 달린 열매는 그렇지 않은 것은 환경의 차이에 따른 변이에 해당한다.

**2-2** 같은 부모로부터 물려받은 유전자의 차이에 따라서 변이가 나타나 서로 다른 특징이 나타날 수 있다.

**2-3** 같은 지역에 사는 한 종의 소라 껍데기 모양의 차이는 환경의 차이에 따른 변이이다. 다양한 생물이 가지는 여러 변이 중 환경에 적합한 변이를 가지는 생물은 번성하여 환경과 조화를 이루며 살아간다.

   [오답 풀이] ㄱ, ㄷ. 같은 종에 속하는 생물 사이에서 나타나는 서로 다른 특징을 변이라고 한다.

---

**5일** 생물을 분류하는 방법과 목적

**개념 원리 확인**     p. 121, 123

**1-1** (1) × (2) ○ (3) ×     **1-2** (1) 인위 (2) 자연     **1-3** (1) 물에 사는 동물과 육지에 사는 동물 (2) 인위 분류
**2-1** (1) × (2) ○ (3) ○     **2-2** (1) 종 (2) 같은     **2-3** ㄴ

### 해설

**1-1** (1) 인위 분류는 생물을 인간의 편의나 사는 장소 등에 따라 분류하는 방법이다.
(2) 생물 사이의 멀고 가까운 관계를 알아내기 위해서는 생김새와 속 구조, 생식 방법, 생활사 등 생물 본래의 자연적인 특징에 따라 분류해야 한다.
(3) 생물을 초식 동물, 육식 동물, 잡식 동물로 분류하는 것은 생물의 식성에 따라 분류한 것으로, 인위 분류에 해당한다.

**1-2** (1) 인위 분류는 사람에 따라 기준이 달라서 객관적이지 않기 때문에 과학적인 분류 방법이라고 할 수 없다.
(2) 자연 분류는 척추동물과 무척추동물과 같이 사람에 따라 기준이 달라지지 않기 때문에 객관적인 분류 방법이다.

**1-3** 고래, 문어, 다랑어는 물에 사는 동물이며, 개, 닭, 나비는 육지에 사는 동물로서, 서식지에 따른 인위 분류이다.

**2-1** 생물학적 종은 생김새와 생활 방식이 유사하고 자연 상태에서 교배하여 생식 능력이 있는 자손을 얻을 수 있는 생물의 무리를 말한다.

**2-2** (1) 종은 생물을 분류할 때 가장 기본이 되는 단위이다.
(2) 생김새와 몸의 크기가 달라도 교배를 통해 생식 능력이 있는 자손을 얻을 수 있으면 같은 종이다.

**2-3** 치와와와 푸들은 생활 방식이 유사하고 자연 상태에서 교배하여 생식 능력이 있는 자손을 얻을 수 있어 같은 종에 해당한다.

**1**-1 ②     **1**-2 ④     **1**-3 ⑤     **2**-1 ⑤

**2**-2 ②, ③     **2**-3 ①

**해설**

**1**-1 자연 분류는 생물을 생김새와 속 구조, 생식 방법, 생활사 등 생물 본래의 자연적인 특징에 따라 분류하는 방법이다. 예를 들면 몸의 형태나 구조(척추동물과 무척추동물), 번식 방법(종자식물과 포자식물), 새끼를 낳는 동물과 알을 낳는 동물 등이 있다.

[오답 풀이] ② 서식지(물에 사는 동물과 육지에 사는 동물), 식성(초식 동물, 육식 동물, 잡식 동물) 등에 의한 분류는 사람에 따라 기준이 달라질 수 있어 인위 분류에 해당한다.

**개념** 체크⁺     **생물 분류**

생물을 일정한 기준에 따라 비슷한 특징을 가진 무리로 나누는 것을 말한다.

| 구분 | 인위 분류 | 자연 분류 |
|---|---|---|
| 의미 | • 생물을 인간의 편의나 사는 장소 등에 따라 분류하는 방법<br>• 사람에 따라 기준이 달라질 수 있어 객관적이라고 할 수 없다. | • 생물을 생김새와 속 구조, 생식 방법, 생활사 등 생물 본래의 자연적인 특징에 따라 분류하는 방법<br>• 사람에 따라 기준이 달라지지 않기 때문에 객관적인 분류이다.<br>• 생물 사이의 관계를 좀 더 쉽게 알 수 있다. |
| 분류 기준 예 | • 식용 식물, 약용 식물<br>• 수중 동물, 육상 동물<br>• 초식 동물, 육식 동물, 잡식 동물 | • 척추동물, 무척추동물<br>• 종자식물, 포자식물<br>• 새끼를 낳는 동물, 알을 낳는 동물 |

**1**-2 새끼를 낳는 동물과 알을 낳는 동물, 꽃이 피는 식물과 꽃이 피지 않는 식물은 사람에 따라 기준이 달라지지 않기 때문에 자연 분류에 해당한다.

[오답 풀이] ㄴ. 먹을 수 있는 식물과 먹을 수 없는 식물은 이용 목적에 따른 인위 분류에 해당한다.

**1**-3 (가)는 사람에 따라 기준이 달라질 수 있어 객관적이지 않기 때문에 과학적인 분류라고 할 수 없으며, 인위 분

류에 해당한다. (나)는 사람에 따라 기준이 달라지지 않기 때문에 객관적인 분류를 할 수 있으며, 생물 사이의 관계를 좀 더 쉽게 알 수 있다.

**2**-1 생물학적 종은 생김새와 생활 방식이 유사하고 자연 상태에서 교배하여 생식 능력이 있는 자손을 얻을 수 있는 생물의 무리를 말한다.

**2**-2 생물학적 종은 생김새와 생활 방식이 유사하고 자연 상태에서 교배하여 생식 능력이 있는 자손을 얻을 수 있는 생물의 무리를 말한다. 수탕나귀와 암말 사이에서 태어난 노새는 자손을 번식시킬 수 있는 생식 능력이 없다.

**2**-3 생물학적 종은 생김새와 생활 방식이 유사하고 자연 상태에서 교배하여 생식 능력이 있는 자손을 얻을 수 있는 생물의 무리를 말한다. 라이거는 자손을 번식시킬 수 있는 생식 능력이 없다.

**01** ②    **02** ④    **03** ③    **04** (1) (나) (2) (나) (3) (나)

**05** 해설 참조    **06** ①    **07** ⑤    **08** ④    **09** 해설 참조    **10** ②

**해설**

**01** 마찰력의 방향은 물체의 운동과 반대 방향, 또는 작용한 힘과 반대 방향이다.

**02** 용수철저울은 추의 무게를 측정한다. 물에 잠긴 부피가 클수록 받는 부력이 커진다. 따라서 용수철저울의 눈금은 A가 가장 크고, 부력은 C가 가장 크다.

**03** 빨래집게는 철사나 용수철이 변형되었을 때 원래 모양으로 되돌아가려는 힘, 즉 탄성력을 이용한 예이다.

**04** 빗면에서 미끄러져 내려가는 순간의 기울기가 클수록 접촉면의 거칠기가 크다. 따라서 접촉면이 거칠수록 마찰력의 크기도 크다.

**05** [모범 답안] A쪽, 물에 잠긴 B쪽 추는 중력과 반대 방향으로 부력이 작용하여 무게가 가벼워졌기 때문이다.

# 정답과 해설

**06** 생물종 사이의 유전자의 다양성도 생물 다양성을 결정 짓는 중요한 요소이다. 생물종이 다양하면 생물 다양성이 높아진다.

**07** 변이는 같은 종에 속하는 생물 사이에서 나타나는 서로 다른 특징을 말하며, 장미와 국화는 서로 다른 종이다.

**08** 변이는 같은 종에 속하는 생물 사이에서 나타나는 서로 다른 특징을 말하며, 고양이와 스라소니는 서로 다른 종이다.

**09** 모범 답안 몸이 크고 몸의 말단 부분이 작을수록 열 손실을 줄일 수 있고, 몸이 작고 말단 부분이 클수록 열을 잘 방출할 수 있다.

**10** 수탕나귀와 암말 사이에서 태어난 노새는 생식 능력이 없으므로 당나귀와 말은 같은 종이 아니다. 그러나 진돗개와 풍산개 사이에서 태어난 새끼는 생식 능력이 있으므로 진돗개와 풍산개는 같은 종이다.

---

**특강** | 창의, 융합, 코딩

p. 129  ✏ 재미있는 개념 완성 퀴즈

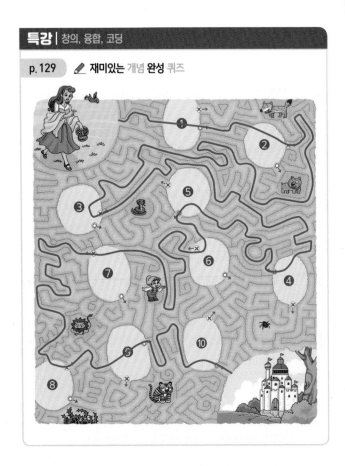

---

p.130~133    **1** (1) 책의 움직임을 방해하는 힘 (2) 무게

(3) 무게    **2** 유미, 윤정    **3** (1) 작아 (2) 커 (3) 작아 (4) 커

(5) 부피    **4** (가) 부력 (나) 마찰력    **5** 해설 참조    **6** 해설

참조    **7** (1) 더듬이 유무 (2) 해설 참조    **8** (1) 해설 참조

(2) 해설 참조

---

해설

**1** (1) 용수철저울의 눈금은 책을 당기는 데 드는 힘으로, 책의 움직임을 방해하는 마찰력의 크기와 같다.
(2) 책의 권수가 많을 때가 적을 때보다 용수철저울의 눈금이 큰 것으로 보아 책의 무게가 클수록 당기는 데 드는 힘의 크기가 크다.
(3) 마찰력의 크기는 면을 누르는 힘, 즉 물체의 무게에 비례한다.

**2** 블록이 미끄러짐을 방해하는 힘은 마찰력이다. 같은 블록을 같은 높이에 올려놓으면 면을 누르는 힘은 모두 같으므로 미끄러짐은 접촉면의 거칠기에 영향을 받는다. 블록이 미끄러지는 순간의 기울기를 비교하면 마찰력의 크기를 알 수 있다. 미끄러지는 순간의 기울기가 클수록 접촉면 사이에 작용하는 마찰력의 크기가 크다. 따라서 미끄러지는 순간의 기울기가 가장 큰 사포를 붙인 면에서 마찰력이 가장 크게 작용한다.

오답 풀이 은수: 미끄러지는 순간의 기울기가 클수록 마찰력의 크기가 커.

**3** 부력＝공기 중에서의 용수철저울의 눈금－물에 잠겼을 때의 용수철저울의 눈금, 표를 보면 물에 잠긴 추의 수가 많아질수록 용수철저울의 눈금이 작아지므로 부력이 커졌음을 알 수 있다. 따라서 부력은 물에 잠긴 물체의 부피가 클수록 커진다.

**4** 마찰력과 부력 중 중력과 반대 방향으로 작용하고, 밀어낸 물체의 부피에 비례하는 힘은 부력이고, 접촉면의 거칠기가 클수록 커지고, 면을 누르는 힘의 크기에 비례하는 힘은 마찰력이다. 따라서 (가)는 부력, (나)는 마찰력이다.

**5** 생물은 빛, 온도, 물, 계절, 바람 등의 환경 변화에 적응하여 살아간다.

모범 답안 물살이 센 곳의 소라는 물에 쉽게 떠내려가지 않기 위해 뿔이 발달해 있으며, 물살이 약한 곳의 소라는 떠내려가지 않으므로 뿔이 없고 표면이 매끈하다.

**6** 같은 종의 생물 사이에서 나타나는 유전자 다양성은 생물 다양성을 결정하는 중요한 요소이다. 유전자 다양성이 높으면 생물 다양성도 높고, 유전자 다양성이 낮으면 생물 다양성도 낮다.
모범 답안 민석. 같은 종에 속하는 생물의 생김새와 특징이 다르게 나타날수록 유전자 다양성이 높아.

**7** (1) (가), (다), (마)는 더듬이가 없고, (나), (라), (바)는 더듬이를 한 개 또는 두 개 가지고 있다.
(2) 생물을 생김새, 내부 구조, 번식 방법 등 고유의 특징으로 분류하면 생물들 사이의 멀고 가까운 관계를 알 수 있고, 같은 무리에 속하는 생물의 특징을 짐작할 수 있다.
모범 답안 생물을 고유의 특징으로 분류하면 생물들 사이의 멀고 가까운 관계를 알 수 있다.

**8** (1) 모범 답안 사자와 호랑이는 같은 종이 아니다. 그 까닭은 숫사자와 암호랑이 사이에서 태어난 라이거가 생식 능력이 없기 때문이다.
(2) 종이란 생물을 분류할 때 가장 기본이 되는 단위로, 생김새와 생활 방식이 유사하고 자연 상태에서 교배하여 생식 능력이 있는 자손을 얻을 수 있는 생물의 무리를 말한다.
모범 답안 종이란 자연 상태에서 짝짓기(교배)하여 생식 능력이 있는 자손을 낳을 수 있는 생물 무리를 말한다.

# 4주

## 1일 주변의 다양한 생물 분류하기

### 개념 원리 확인      p. 139, 141

**1-1** (1) ○ (2) × (3) ○ (4) ○    **1-2** ㉠ 문 ㉡ 목 ㉢ 종
**1-3** (1) 속 (2) 강 (3) 문
**2-1** (1) ○ (2) × (3) ○ (4) ×    **2-2** ㄱ, ㄴ
**2-3** 원생생물계

### 해설

**1-1** (1) 현대 생물학에서는 생물을 계, 문, 강, 목, 과, 속, 종의 7단계로 구분하고 있다. 계는 가장 큰 분류 단계로, 여러 개의 문이 모여 계를 이룬다.
(2) 하나의 과는 여러 개의 속으로 분류할 수 있다.
(3) 하나의 강은 여러 개의 목으로 분류할 수 있다.
(4) 가장 작은 분류 단계는 종이라고 한다. 계에서 종으로 내려갈수록 생물을 분류하는 기준은 좀 더 세분되고 그 범위가 점점 좁아진다.

**1-2** 하나의 계에 속하는 생물 무리 가운데 공통적인 특징을 가진 생물을 조금 더 작은 단위로 나누어 문으로 분류한다. 이와 같은 방법으로 점차 작은 단위인 강, 목, 과, 속, 종으로 분류한다.

**1-3** 진돗개는 진돗개(종)-개(속)-개(과)-식육(목)-포유(강)-척삭동물(문)-동물(계)로 분류할 수 있다.

**2-1** (1) 생물의 5계는 다양한 생물종을 비교하여 일정한 분류 기준에 따라 서로 비슷한 특징을 지닌 것끼리 무리지은 것으로 원핵생물계, 원생생물계, 식물계, 균계, 동물계의 5가지 계로 분류한다.
(2) 원핵생물계는 세포에 막으로 둘러싸인 핵이 없다.
(3) 곰팡이를 비롯한 대부분의 균계에 속하는 생물의 몸은 가느다란 실 모양의 균사로 이루어져 있다.
(4) 미역은 엽록체가 있어 광합성을 하지만 식물처럼 기관이 발달하지 않아 원생생물계에 속한다.

**2-2** 균계는 세포에 막으로 둘러싸인 핵이 있으며, 세포에 세포벽이 있다. 대부분 죽은 생물이나 배설물을 분해하여 양분을 얻으며, 표고버섯, 광대버섯, 누룩곰팡이, 푸른곰팡이, 효모 등이 균계에 속한다.

**2-3** 원생생물계는 세포에 막으로 둘러싸인 핵이 있으며, 대부분 단세포 생물이지만 다세포 생물도 있다. 세포벽이 있는 생물(김, 미역, 다시마 등)도 있고, 세포벽이 없는 생물(아메바, 짚신벌레 등)도 있다.

---

| 1일 | 기초 집중 연습 | p. 142~143 |
|---|---|---|

**1**-1 ⑤    **1**-2 ④    **1**-3 ③
**2**-1 ③    **2**-2 ⑤    **2**-3 ⑤

**해설**

**1-1** A, B, C는 잎이 어긋나게 배열되어 있고, D는 잎이 마주 보게 배열되어 있다.

[오답 풀이] ① 꽃잎의 색깔은 A, D와 B, C로 분류할 수 있다.
② 잎의 개수는 A~D 모두 4개이므로 분류 기준이 될 수 없다.
③ 잎의 형태는 A, C와 B, D로 분류할 수 있다.
④ 뿌리의 형태는 A, B와 C, D로 분류할 수 있다.

**1-2** 하나의 계에 속하는 생물 무리 가운데 공통적인 특징을 가진 생물을 조금 더 작은 단위로 나누어 문으로 분류하며, 문은 강, 목, 과, 속, 종의 7단계로 구분한다.

[오답 풀이] 생물학적 종은 생김새와 생활 방식이 유사하고 자연 상태에서 교배하여 생식 능력이 있는 자손을 얻을 수 있는 생물 무리이다.

**1-3** 생물은 계, 문, 강, 목, 과, 속, 종의 7단계로 구분하고 있다.

[오답 풀이] ㄷ. (다)는 동물계이며, 동물계는 세포에 막으로 둘러싸인 핵이 있고, 세포에 세포벽이 없다.

**2-1** 식물계는 세포에 막으로 둘러싸인 핵이 있으며, 엽록체

가 있어 광합성을 할 수 있다. 원핵생물계는 세포에 막으로 둘러싸인 핵이 없고, 세포에 세포벽이 있다.

[오답 풀이] ㄴ. 원생생물계는 조직이나 기관이 발달되어 있지 않으며, 진핵생물이다.

**2-2** 대장균은 핵막이 없는 원핵생물계에 속하고, 고사리는 세포벽이 있고 광합성을 하는 식물계에 속하며, 표고버섯은 균사로 이루어져 있어 균계에 속한다.

**2-3** 원생생물계는 세포에 막으로 둘러싸인 핵이 있고, 세포벽이 있는 생물(김, 미역, 다시마 등)도 있고 세포벽이 없는 생물(아메바, 짚신벌레 등)도 있다. 대부분 단세포 생물(아메바, 짚신벌레 등)이지만 다세포 생물(김, 미역, 다시마 등)도 있다. 또한, 동물과 비슷하게 먹이를 섭취하는 생물(아메바, 짚신벌레 등)도 있고, 식물처럼 광합성을 하여 스스로 양분을 만드는 생물(김, 미역, 다시마 등)도 있다.

---

**2일** 생물 다양성의 중요성과 보전

| 개념 원리 확인 | p. 145, 147 |
|---|---|

**1**-1 (1) ○ (2) ○ (3) ×    **1**-2 ㄷ    **1**-3 은서
**2**-1 (1) 서식지 (2) 천적 (3) 포획    **2**-2 ②

**해설**

**1-1** (1) 생물 다양성은 인간에게 유용한 생물 자원(식량 자원, 의약품 원료 등)을 제공한다.
(2) 인류는 생물의 생김새나 생활 모습으로부터 아이디어를 얻어 유용한 도구를 개발했다.
(3) 생물 다양성이 높을수록 안정된 생태계이다.

**1-2** 인류는 도꼬마리 열매의 갈고리 형태를 보고 벨크로를 개발했다. 이처럼 생물 다양성은 도구 발명의 원천이 된다.

**1-3** 먹이 사슬이 복잡하면 어떤 생물이 사라져도 사라진 생물을 대체하는 생물이 있어 큰 영향을 받지 않고 생태

계가 안정적으로 유지된다. 이처럼 쥐가 사라져도 뱀은 토끼를, 참매는 토끼나 참새, 뱀을 잡아먹고 살 수 있다.

**2-1** ⑴ 무분별한 개발과 환경 오염으로 생물의 서식지가 급격히 감소하고 있다. 예를 들어 주택 단지 조성을 위해 숲을 없애면서 생물이 살아갈 공간이 줄어들게 되어 생물 다양성이 감소하게 되었다.
⑵ 새롭게 유입된 동식물은 대체로 천적이 없으므로 그 지역 고유 생물종의 생존에 위협을 가할 수 있으며, 생태계 평형이 파괴될 수 있다.
⑶ 상업적인 목적을 위해 특정 종을 불법 포획하거나 남획하는 것은 생물 다양성을 감소시킨다. 예를 들어 상아를 얻기 위해 코끼리를, 기름과 고기를 얻기 위해 고래를 불법으로 포획하거나 남획하는 것 등을 들 수 있다.

**2-2** 가시박, 뉴트리아, 베스는 외래종으로 천적이 거의 없으므로 그 지역 토착 생물종의 생존에 위협이 될 수 있다.

---

**2일 기초 집중 연습**  p. 148~149

**1**-1 ② **1**-2 ② **1**-3 ③ **2**-1 ②

**2**-2 ③, ⑤ **2**-3 ②

**해설**

**1**-1 생물은 식량 자원, 의약품 원료, 공산품 원료 등 인간의 생존에 필요한 생물 자원을 제공한다.

**1**-2 생물 다양성이 높은 생태계는 먹이 사슬이 복잡하여 어떤 생물이 사라져도 사라진 생물을 대체하는 생물이 있어 큰 영향을 받지 않고 생태계가 안정적으로 유지된다. (가)는 (나)보다 생물 다양성이 높으며, 토끼가 사라지면 (가)의 늑대는 생존할 수 있으나 (나)의 늑대는 생존하기 어렵다.

오답 풀이 ㄷ. 생물 다양성이 낮은 생태계는 먹이 사슬이 단순하여 어떤 생물이 사라지면 그 생물과 먹이 관계를 맺고 있는 생물이 직접 영향을 받아 생태계가 쉽게 파괴된다.

**1**-3 인류는 도꼬마리 열매의 갈고리 형태를 보고 벨크로를 만들었고, 곤충의 나는 모습을 보고 소형 비행기를 만들었으며, 도마뱀붙이 발바닥의 미세 섬모를 보고 생체 모방 기술에 응용하였다.

오답 풀이 ㄴ. 벼, 밀, 옥수수 등의 농작물 및 소, 돼지 등의 가축은 인류의 주요 식량 자원이 된다. 식량 자원은 생물 자원에 해당한다.

**2**-1 생물 다양성을 보존할 수 있는 사회적 노력으로는 비오톱, 생태 통로 등을 들 수 있다. 또한, 국가적 노력으로는 국립 공원 지정, 멸종 위기종 지정, 환경 영향 평가 시행 등을 들 수 있으며, 국제적 노력으로는 멸종 위기에 처한 야생 동식물의 국제적 거래에 관한 협약 (CITES), 람사르 협약, 생물 다양성 협약 등 국제 협약을 맺고 이를 이행하려고 노력하는 것을 들 수 있다.

**2**-2 생물 다양성을 감소시키는 원인으로는 서식지 파괴, 외래종 유입, 불법 포획과 남획, 환경 오염 등이 있다. 생태 통로 설치는 생물 다양성 보전을 위한 사회적 노력에 해당하고, 멸종 위기종 지정 및 관리는 국가적 노력에 해당한다.

**2**-3 생물 다양성 보전을 위한 개인적인 노력으로는 쓰레기 덜 버리기, 생명을 함부로 해치지 않기, 희귀한 동물을 애완용으로 기르지 않기 등이 있다.

오답 풀이 ㄷ. 생태 통로를 설치하여 야생 동물이 서식지를 이동할 수 있게 하는 것은 생물 다양성 보존을 위한 사회적 노력에 해당한다.

---

**3일 스스로 움직이는 입자 (1)**

**개념 원리 확인**  p. 151, 153

**1**-1 ⑴ 입자 ⑵ 스스로 ⑶ 모든 ⑷ 간단한 **1**-2 증발

**1**-3 효민

**2**-1 확산 **2**-2 ⑴ × ⑵ ○ ⑶ × **2**-3 ⑴ <, < ⑵ <, <

**해설**

**1**-1 ⑴ 물질을 이루는 기본적인 단위를 입자라고 한다.

(2) 기체 입자는 스스로 끊임없이 움직인다.

(3) 기체의 입자 운동은 모든 방향으로 움직인다.

(4) 작아서 눈에 보이지 않는 입자를 사물이나 도형을 이용하여 간단한 모형으로 나타낸 것을 입자 모형이라고 한다.

**1-2** 확산과 증발은 입자 운동의 증거가 되는 현상이다.

**1-3** 피스톤을 누르면 공기 입자 사이의 거리가 더 가까워져 피스톤이 밀려 들어간다. 이때 공기 입자의 종류, 모양, 크기, 개수는 그대로이다.

**2-1** 물질을 이루는 입자가 스스로 운동하여 퍼져 나가는 현상을 확산이라고 한다.

**2-2** (1) 확산은 기체뿐만 아니라 액체에서도 일어난다.

(2) 확산은 입자 운동의 증거가 되는 현상이다.

(3) 물질을 이루는 입자가 스스로 움직여 액체 표면에서 기체로 변하는 현상은 증발이다.

**2-3** 확산은 물질의 상태가 고체보다는 액체, 액체보다는 기체일 때 빨리 일어난다. 또한 액체 속에서보다는 기체 속, 기체 속에서보다는 진공 속에서 빨리 일어난다.

**1-2** 공기 입자 사이에는 거리가 있기 때문에 주사기 속 공기를 압축할 때 공기 입자 사이의 거리가 가까워져 피스톤이 밀려 들어간다. 이때 공기 입자의 크기와 개수는 변하지 않는다.

**1-3** (오답 풀이) ⑤ 작아서 눈으로 관찰할 수 없는 기체 입자를 간단한 입자 모형으로 나타낸다.

**2-1** 페놀프탈레인 용액은 암모니아와 같은 염기성 물질을 붉은색으로 변화시킨다. 이 실험 결과 암모니아수를 떨어뜨린 곳에서 가까운 쪽의 솜부터 먼 쪽의 솜으로 차례대로 붉은색으로 변하는데, 이를 토대로 페트리 접시 중앙에 떨어뜨린 암모니아수에서 나온 암모니아 기체 입자가 스스로 운동하여 모든 방향으로 확산한다는 것을 알 수 있다.

**2-2** 향수 입자가 주변으로 퍼져 나가는 것으로 보아 확산 현상이다.

**2-3** (오답 풀이) ③ 확산은 액체 속 < 기체 속 < 진공 속 순으로 잘 일어난다.

---

**3일** 기초 집중 연습   p. 154~155

**1-1** ①, ④    **1-2** 예준    **1-3** ⑤    **2-1** ⑤

**2-2** ②    **2-3** ③

해설

**1-1** 입자 운동은 물질을 이루는 입자가 스스로 끊임없이 모든 방향으로 움직이는 현상으로, 확산과 증발이 그 예이다.

(오답 풀이) ② 난로 주변이 따뜻한 것은 복사에 의한 현상이다.

③ 노래 소리가 멀리 퍼지는 것은 파동에 의한 현상이다.

⑤ 물이 높은 곳에서 낮은 곳으로 흐르는 것은 중력에 의한 현상이다.

---

**4일** 스스로 움직이는 입자 (2)

**개념 원리 확인**   p. 157, 159

**1-1** 증발    **1-2** (1) ○ (2) ○ (3) × (4) ×    **1-3** (1) 높을수록

(2) 낮을수록 (3) 많이 불수록 (4) 넓을수록

**2-1** (1) ㉠ (2) ㉡ (3) ㉠ (4) ㉡    **2-2** (1) ○ (2) × (3) ○ (4) ○

해설

**1-1** 입자가 스스로 운동하여 액체 표면에서 기체로 변하는 현상을 증발이라고 한다.

**1-2** (1) 증발은 온도, 습도, 바람, 표면적의 영향을 받는다.

(2) 증발은 입자 운동의 예이다.

(3) 증발은 액체 표면의 입자가 기체로 변하여 공기 중으로 날아가는 현상이다.

(4) 온도가 높을수록 증발이 잘 일어난다.

**1-3** 증발은 온도가 높을수록, 습도가 낮을수록, 바람이 많이 불수록, 액체의 표면적이 넓을수록 잘 일어난다.

**2-1** (1) 향수 냄새가 퍼져 향기를 맡는 것은 확산에 해당한다.
(2) 바닥에 떨어진 물이 시간이 지나면 사라지는 것은 증발에 해당한다.
(3) 요리할 때 음식 냄새가 나는 것은 확산에 해당한다.
(4) 염전에서 바닷물을 증발시켜 소금을 얻는 것은 증발에 해당한다.

**2-2** (1) 확산은 액체 속에서도 일어난다.
(2) 증발은 습도가 낮을수록 잘 일어난다.
(3) 증발은 액체의 표면적이 넓을수록 잘 일어난다.
(4) 확산과 증발은 입자의 운동에 의해 나타나는 현상이다.

**1-3** 빨래가 마르는 현상은 증발의 예이다. 온도가 높을수록, 습도가 낮을수록, 바람이 많이 불수록, 액체의 표면적이 넓을수록 증발이 잘 일어난다.

**2-1** 시간이 지남에 따라 어항의 물이 점점 줄어드는 것과 손등에 바른 알코올이 사라지는 것은 물질을 이루는 입자가 스스로 운동하여 액체의 표면에서 기체로 변하여 공기 중으로 날아가는 현상인 증발의 예이다.
오답 풀이 ①, ②, ④, ⑤는 모두 확산 현상이다.

**2-2** 확산은 물질을 이루고 있는 입자가 스스로 운동하여 퍼져 나가는 현상이고, 증발은 입자가 스스로 운동하여 액체 표면에서 기체로 변하는 현상이다.
오답 풀이 ①, ②, ④, ⑤는 모두 증발 현상이다.

**2-3** 꽃집 근처를 지나갈 때 꽃 향기가 나는 것은 확산 현상으로, 주방에서 만드는 음식 냄새가 집 안 전체에 퍼지는 것도 확산 현상이다.
오답 풀이 ①, ②, ③, ④는 모두 증발 현상이다.

---

**4일** 기초 집중 연습  p.160~161

**1-1** ①  **1-2** ④  **1-3** 하율  **2-1** ③

**2-2** ③  **2-3** ⑤

해설

**1-1** 시간이 지나면서 거름종이에 떨어뜨린 아세톤 입자가 스스로 운동하여 아세톤 표면에서 공기 중으로 날아가기 때문에 아세톤의 질량이 점점 감소한다. 이때 아세톤 입자가 공기 중으로 퍼져 나가기 때문에 거름종이 주위에서는 아세톤 냄새가 난다.
주변의 온도를 높이거나, 주변의 습도를 낮추면 아세톤의 증발을 더 빨리 일어나게 할 수 있다.
오답 풀이 ① 시간이 지나면서 거름종이에 떨어뜨린 아세톤이 천천히 사라져 아세톤의 질량이 점점 감소한다.

**1-2** 증발은 물질을 이루는 입자가 스스로 움직여 액체 표면에서 기체로 변하는 현상으로, 입자들이 스스로 끊임없이 움직인다는 증거이다.
오답 풀이 ㄱ. 증발은 바람이 불 때만 일어나는 것은 아니며, 바람이 불지 않을 때에도 일어난다.

---

**5일** 기체의 압력과 부피

개념 원리 확인  p.163, 165

**1-1** (다)  **1-2** (1) 모든 (2) 많을 (3) 충돌

**1-3** ㉠ 많을수록 ㉡ 작을수록 ㉢ 높을수록

**2-1** (1) ㉡ (2) ㉡ (3) ㉡ (4) ㉢ (5) ㉢ (6) ㉠  **2-2** ㉠ 증가

㉡ 감소  **2-3** ㉠ 증가 ㉡ 커진다

해설

**1-1** 힘의 크기가 클수록, 힘을 받는 면적의 넓이가 좁을수록 압력이 커진다. 그러므로 압력의 크기는 (가)<(나)<(다) 순이다.

**1-2** (1) 기체의 압력은 모든 방향으로 작용한다.
(2) 기체 입자의 충돌 횟수가 많을수록 기체의 압력이 커진다.

(3) 기체의 압력은 기체 입자들이 운동하면서 일정한 넓이에 충돌할 때 작용하는 힘의 크기이다.

**1-3** 용기의 부피와 온도가 일정할 때 기체 입자 개수가 많을수록 기체의 압력이 커진다. 기체 입자 개수와 온도가 일정할 때 용기의 부피가 작을수록 기체의 압력이 커진다. 기체 입자 개수와 용기의 부피가 일정할 때 온도가 높을수록 기체의 압력은 커진다.

**2-1** 실린더 위의 추가 2개에서 1개로 줄어들었기 때문에 외부 압력이 감소했음을 알 수 있다. 온도가 일정할 때 외부 압력이 감소하면 기체의 부피와 기체 입자 사이의 거리는 증가하며, 입자의 충돌 횟수는 감소한다. 이때 기체 입자의 크기, 질량, 개수는 변하지 않는다.

**2-2** 기체의 온도가 일정할 때 기체에 작용하는 압력이 증가하면 기체의 부피는 감소하고, 압력이 감소하면 기체의 부피는 증가한다.

**2-3** 일정한 온도에서 주사기의 피스톤을 누르면 주사기 속 기체 입자의 충돌 횟수가 증가하여 주사기 속 기체의 압력이 커지게 된다.

---

| **5일** 기초 집중 연습 | | | p. 166~167 |
|---|---|---|---|
| **1-1** ①, ② | **1-2** ⑤ | **1-3** ④ | **2-1** ① |
| **2-2** 온유 | **2-3** ① | | |

**해설**

**1-1** 기체의 압력은 기체 입자들이 운동하면서 용기 벽에 충돌할 때 일정한 면적에 작용하는 힘의 크기로, 기체의 압력은 모든 방향에 같은 크기로 작용한다. 고무풍선 속 기체 입자의 수가 증가할수록 기체 입자의 충돌 횟수가 증가하고, 기체 입자의 충돌 횟수가 증가할수록 고무풍선 속 기체의 압력이 증가해 고무풍선의 크기는 커진다.

(오답 풀이) ③ 기체 입자의 충돌 횟수가 증가할수록 고무풍선의 크기는 커진다.

④ 기체 입자의 충돌 횟수가 증가할수록 고무풍선 속 기체의 압력은 증가한다.

⑤ 온도를 높이면 기체 입자의 운동이 활발해져서 고무풍선 속 기체 입자의 충돌 횟수가 증가해 고무풍선의 크기가 커진다.

**1-2** (오답 풀이) ㄱ. 기체의 압력은 모든 방향에 같은 크기로 작용한다.

**1-3** 고무풍선에 공기를 불어 넣으면 고무풍선 속 기체 입자 수가 증가하여 기체 입자의 충돌 횟수가 증가한다. 기체 입자의 충돌 횟수가 증가하면 고무풍선 속 기체의 압력이 증가하여 풍선이 커지게 된다.

(오답 풀이) ㄷ. 고무풍선에 공기를 불어 넣으면 풍선 속 기체 입자의 충돌 횟수가 증가한다.

**2-1** 감압 용기 속 공기를 빼내면 감압 용기 속 기체 입자의 개수가 감소하여 기체 입자의 충돌 횟수가 감소하고, 감압 용기 속 기체의 압력이 작아지면서 고무풍선의 부피가 커진다.

(오답 풀이) ㄴ. 감압 용기 속 기체의 압력이 작아져 고무풍선의 부피가 커지면 고무풍선 속 기체 입자의 충돌 횟수가 감소하여 고무풍선 속 기체의 압력은 작아진다.

ㄷ. 공기를 다시 채우면 감압 용기 속 기체의 압력이 커지고, 고무풍선의 부피가 작아진다.

**2-2** 피스톤을 누르면 주사기 속 기체의 압력은 커지고 고무풍선의 부피는 작아진다. 피스톤을 당기면 주사기 속 기체의 압력은 작아지고 고무풍선의 부피는 커진다.

**2-3** 그림은 공기가 들어 있는 실린더에 압력을 점점 증가시킨 것을 나타낸 것이다. 실린더에 작용하는 압력이 커질수록 기체의 부피가 작아져 기체 입자가 실린더 벽에 충돌하는 횟수는 늘어난다. 그러므로 기체 입자의 충돌 횟수는 (가) < (나) < (다) 순으로 크다.

**01** ③     **02** ①     **03** ⑤

**04** 원생생물계, 剛 다시마    **05** ④     **06** ⑤

**07** ⑤     **08** 증발     **09** ②     **10** ③

해설

**01** 하나의 계에 속하는 생물 무리 가운데 공통적인 특징을 가진 생물을 조금 더 작은 단위로 나누어 문으로 분류하며, 이와 같은 방법으로 점차 작은 단위인 강, 목, 과, 속, 종으로 분류한다.

오답 풀이 ③ 분류 단계에서 하위 단계가 같으면 상위 단계도 같다. 따라서 두 종의 생물이 '속'이 같으면 '과'도 같다.

**02** 누룩곰팡이는 균계에 속한다. 균계는 대부분 다세포 생물이지만 효모와 같이 단세포 생물도 있다.

**03** 호랑이, 개구리, 참새는 모두 동물계에 속한다. 동물계의 생물은 다른 생물을 섭취하여 양분을 얻는 생물 무리이다. 또한 다세포 생물이고, 세포벽이 없으며, 엽록체가 없어 광합성을 할 수 없다.

오답 풀이 원핵생물계의 생물은 단세포 생물이며, 핵막이 없고 세포벽이 있다. 또한 대부분 광합성을 하지 않지만, 남세균처럼 광합성을 하는 생물도 있다.

**04** 원생생물계는 핵막이 있고, 대부분 단세포이지만 다세포 생물도 있다. 또한 엽록체가 있어 광합성을 하는 생물(김, 미역, 다시마 등)도 있고 광합성을 하지 않는 생물(짚신벌레 등)도 있다.

개념 체크⁺    **원핵생물과 진핵생물**

세포 안에 핵막으로 둘러싸인 핵이 있는지 없는지에 따라 원핵생물과 진핵생물로 나누어진다.

| 구분 | 원핵생물 | 진핵생물 |
|---|---|---|
| 핵막 | 없음 | 있음 |
| 유전 물질 | 있음 | 있음 |
| 예 | 세균류 | 원핵생물을 제외한 다른 생물들(원생생물계, 식물계, 균계, 동물계에 속한 모든 생물들) |

**05** 외래종은 대체로 천적이 없어 그 지역 고유 생물종의 생존을 위협하고 생물 다양성을 감소시키는 요인이 된다.

오답 풀이 ㄴ. 외래종은 생태계 평형을 파괴할 수 있다.

**06** 지금까지 일어났던 생물의 멸종은 대부분 수만 년에서 수백만 년의 긴 기간에 걸쳐 일어났으나, 인간에 의한 멸종은 단기간에 일어나고 있어 문제가 되고 있다.

**07** 물질을 이루는 입자가 스스로 끊임없이 모든 방향으로 움직이는 것을 입자 운동이라고 한다. 입자 운동은 온도가 높을수록 활발해지고, 기체뿐만 아니라 액체 속에서도 일어난다.

오답 풀이 ⑤ 난로 주변이 따뜻해지는 현상은 열이 물질의 도움 없이 직접 전달되는 복사 현상의 예이다.

**08** 물질을 이루는 입자가 스스로 운동하여 액체 표면에서 기체로 변하는 현상을 증발이라고 한다.

**09** ①, ③, ④, ⑤는 확산의 예이다.

오답 풀이 ② 젖은 빨래가 마르는 것은 증발의 예이다.

**10** 오답 풀이 ① (가) 기체의 압력은 (나)보다 크다.
② (가)와 (나)의 기체 입자의 수는 같다.
④ 온도가 일정하므로 (가)와 (나)의 기체 입자 운동 속도는 같다.
⑤ (가) 기체 입자의 충돌 횟수는 (나)보다 많다.

자료 분석⁺    **온도가 일정할 때 기체의 압력과 부피 관계**

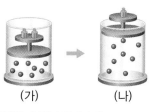

(가)       (나)

- 기체에 작용하는 압력이 작아질 때
  외부 압력 감소 → 기체의 부피 증가 → 기체 입자의 충돌 횟수 감소 → 기체의 압력 감소
- 감소하는 것: 입자의 충돌 횟수, 기체의 압력
- 증가하는 것: 입자 사이의 거리, 기체의 부피
- 변하지 않는 것: 입자의 운동 속도, 입자의 개수, 입자의 크기, 입자의 질량

# 정답과 해설

p. 172~175

**특강** 창의, 융합, 코딩

**1** (1) (나) (2) 해설 참조 **2** (1) 람사르 협약 (2) 해설 참조
**3** 해설 참조 **4** 해설 참조 **5** (1) 희동 (2) 해설 참조
**6** 확산 **7** 증가 **8** ㉠ 높아져 ㉡ 감소

**해설**

**1** (1) 생물 다양성이 높은 생태계는 먹이 사슬이 복잡하여 어떤 생물이 사라져도 그 생물을 대체하는 생물이 있어 일시적인 변화는 있어도 큰 영향을 받지 않고 생태계가 안정적으로 유지된다. 생물 다양성이 낮은 생태계는 먹이 사슬이 단순하여 어떤 생물이 사라지면 그 생물과 먹이 관계를 맺고 있는 생물이 직접 영향을 받아 생태계가 쉽게 파괴될 수 있다.
(2) **모범 답안** (가)에서 개구리가 사라지면 개구리와 먹이 관계를 맺고 있는 생물이 직접 영향을 받아 생태계가 쉽게 파괴되지만, (나)에서 개구리가 사라져도 대체하는 생물이 있어 일시적으로는 변화가 있지만 곧 생태계가 안정적으로 유지될 수 있다.

**2** (1) 람사르 협약(물새 서식지로서 국제적으로 중요한 습지 보호에 관한 협약)은 국경을 초월해 이동하는 물새를 국제 자원으로 규정하고, 중요하고 보전 가치가 높은 습지를 지정하여 의무적으로 보전하기 위한 국제 협약이다.
(2) **모범 답안** 습지는 육지 생태계와 수중 생태계를 연결하는 지역으로, 두 생태계의 자원을 이용하는 생물이 함께 존재한다. 따라서 습지 생태계를 보전하는 것은 생물 다양성을 보전하는 데 중요하다.

**3** 생물의 5계는 세포 내의 핵막 유무, 기관의 발달 유무, 균사의 유무, 엽록체의 유무 등이 중요한 분류 기준이 되며, 원핵생물계, 원생생물계, 식물계, 균계, 동물계로 분류한다.
**모범 답안** 생물 (가) – 원핵생물계, 대장균 / 생물 (나) – 균계, 버섯 / 생물 (다) – 원생생물계, 미역 / 생물 (라) – 식물계, 고사리 / 생물 (마) – 동물계, 장수풍뎅이

**4** 생물 다양성 보전을 위한 개인적 노력으로는 쓰레기 덜 버리기, 생명을 함부로 해치지 않기 등이 있고, 사회적 노력으로는 비오톱 설치, 생태 통로 설치, 서식지 보호 활동 등을 들 수 있다. 또한 국가적 노력으로는 보호 지역 지정 및 관리, 환경 영향 평가 시행, 멸종 위기종 지정 및 관리 등이 있고, 국제적 노력으로는 람사르 협약, 생물 다양성 협약 등을 통해 생물 다양성 보전을 이행하려는 노력을 들 수 있다.
**모범 답안** 준수. 맞아, 예를 들어 비오톱을 설치하거나 생태 통로를 설치하는 건 사회적 노력에 해당하지.

**5** 온도가 높을수록, 바람이 강하게 불수록, 습도가 낮을수록, 표면적이 넓을수록 증발이 잘 일어난다.
(2) **모범 답안** 제습기를 틀어서 방 안의 습도를 낮춰.

**6** 확산은 물질을 이루고 있는 입자가 스스로 움직여 퍼져 나가는 현상을 말한다. 빵집에서 나는 빵 냄새나 엄마가 요리하는 음식 냄새가 공기 중으로 퍼져 나가는 것은 모두 확산 현상의 예이다.

**7** 산꼭대기는 산 아래보다 대기압이 낮으므로 과자 봉지 속 기체의 부피가 증가하여 과자 봉지가 팽팽하게 부풀어 오른다.

**8** 비행기가 착륙하면 운항 중일 때보다 대기압이 높아져 빈 페트병 속 기체의 부피가 감소하여 페트병이 찌그러지게 된다.

천재교과서

중1~고1 과정, 전 과목 강좌 **무한 수강!**

# 밀크T중학으로
# 스마트하게 공부하자!

1등 교과서가 만든 milk T 중학

**중학교 전 학년, 고등학교 1학년 과정의 전 과목 강좌**를 밀크T중학에 담았습니다.
천재교과서가 만든 중등 스마트러닝 시스템으로 성적 향상을 경험하세요!

강의 들으며 교안 보기
멀티 학습 플레이어

빠르게 질문&필기
스터디 매니저

수학 · 영어 Tab전용
첨삭 서비스

학습의 A부터 Z까지
1:1 담임 관리 시스템

http://mid.milkt.co.kr  문의 **1522-5533**

정답은
이안에
있어!